LUNE DE MIEL

DU MÊME AUTEUR

La Maison au bord du lac, L'Archipel, 2005

Quatre souris vertes, Lattès, 2005.

Terreur au troisième degré, Lattès, 2005.

Deuxième chance, Lattès, 2004.

Pour toi, Nicolas, l'Archipel, 2004.

L'Été des machettes, Fleuve Noir, 2004.

Noires sont les violettes, Lattès, 2004.

Beach House, Lattès, 2003.

Vendredi noir, Fleuve Noir, 2003.

Premier à mourir, Lattès, 2003.

Rouges sont les roses, Lattès, 2002.

Celui qui dansait sur les tombes, Fleuve Noir, 2002.

Le Jeu du furet, Lattès, 2001.

La Dernière Prophétie, l'Archipel, 2001.

Souffle le vent, Lattès, 2000.

Au chat et à la souris, Lattès, 1999.

La Diabolique, Lattès, 1998.

Jack et Jill, Lattès, 1997.

Et tombent les filles, Lattès, 1995.

Le Masque de l'araignée, Lattès, 1993.

JAMES PATTERSON
et HOWARD ROUGHAN

LUNE DE MIEL

traduit de l'américain
par Catherine Ludet

l'Archipel

Ce livre a été publié sous le titre
Honeymoon
par Little, Brown & Company, New York, 2005.

Si vous désirez recevoir notre catalogue et
être tenu au courant de nos publications,
envoyez vos nom et adresse, en citant ce
livre, aux Éditions de l'Archipel,
34, rue des Bourdonnais 75001 Paris.
Et, pour le Canada,
à Édipresse Inc., 945, avenue Beaumont,
Montréal, Québec, H3N 1W3.

ISBN 2-84187-767-1

Prologue

QUI A FAIT QUOI ?

« Il ne faut pas se fier aux apparences. »

Tout allait parfaitement bien. Maintenant, plié en deux, j'agrippe mon ventre, en proie à une souffrance atroce. Bon sang, que m'arrive-t-il ?

Je n'en ai pas la moindre idée. Mon être entier est absorbé par ce que je ressens. C'est inimaginable. Comme si la paroi de mon estomac se consumait soudain, rongée par un acide. Je hurle, je gémis et, surtout, je prie… je prie pour que cela cesse. En vain.

La brûlure se prolonge, laissant un trou par lequel la bile s'écoule sur mes entrailles, avec un grésillement. Ma propre chair se dissout et répand son odeur tout autour. Je suis en train de mourir.

Non, c'est pis encore. Bien pis. Je suis écorché vif, de l'intérieur. Et ce n'est que le début. Une langue de feu s'élance et explose dans ma gorge. Elle bloque l'entrée de l'air ; je lutte pour respirer.

Tout à coup, je m'écroule, incapable d'empêcher ma chute. Quand ma tête heurte le plancher, mon crâne se fend. Le sang sombre, épais, suinte sur mon sourcil droit et me fait cligner des paupières à plusieurs reprises. J'y prête à peine attention.

Le brasier redouble d'intensité, continue de s'étendre. Jusqu'à mes narines, mes oreilles. Il cerne mes yeux dont les vaisseaux sanguins se boursouflent, comme du métal en fusion. J'essaie de me relever, sans y parvenir. Lorsque j'y arrive enfin, j'essaie de courir mais je n'arrive qu'à trébucher. Transformées en plomb, mes jambes ne pourront franchir les trois mètres qui me séparent de la salle de bains.

Je l'atteins pourtant, sans savoir comment. Avec fébrilité, je verrouille la porte derrière moi. Mes genoux lâchent et, de nouveau, je m'effondre sur le sol. Le carrelage froid accueille ma joue avec un craquement terrifiant.

La cuvette des toilettes oscille, comme le reste de la pièce. Il me faut agripper le lavabo vers lequel je tends mes bras vacillants. Impossible. Mon corps se met à tressauter comme si un courant de mille volts me parcourait les veines.

Alors, je m'applique à ramper. La douleur se diffuse jusqu'au bout de mes ongles, qui s'enfoncent dans les joints du carrelage pour me tirer en avant. J'attrape désespérément la cuvette des toilettes et je hisse ma tête au niveau du rebord.

Pendant une seconde, mon gosier s'ouvre et je m'efforce d'aspirer. Soulevé par des haut-le-cœur, je sens les muscles de ma poitrine se tendre et se tordre. Un par un, ils se déchirent, comme lacérés par des lames de rasoir.

Des coups retentissent à la porte. Je tourne la tête. Ils deviennent de plus en plus forts et se transforment en un martèlement insistant.

Si seulement c'était la Mort, venant mettre fin à cet épouvantable martyre ! Mais ce n'est pas elle, pas encore, et je comprends tout à coup que, même si je ne sais pas ce qui m'a tué ce soir, je sais foutrement bien qui l'a fait.

I
DES COUPLES PARFAITS

1

Nora sentait le regard de Connor posé sur elle.

Chaque fois qu'elle se préparait à un voyage professionnel, il se comportait de la même façon. Il appuyait sa silhouette d'un mètre quatre-vingt-deux contre le chambranle de la porte, les mains dans les poches et le sourcil désapprobateur. L'idée de la séparation lui était insupportable.

Habituellement, il se contentait de l'observer en silence pendant qu'elle remplissait sa valise, en buvant de temps en temps une gorgée d'Évian, son eau minérale favorite. Cet après-midi-là, toutefois, il ne put se contenir.

— Ne pars pas, implora-t-il de sa voix grave.

Elle se tourna vers lui avec un tendre sourire.

— Tu sais bien qu'il le faut. Et que je déteste ça autant que toi.

— Mais tu me manques déjà! N'y va pas, envoie-les promener!

Dès le premier jour, la jeune femme avait été fascinée par la vulnérabilité que Connor s'autorisait à manifester devant elle et qui offrait un contraste frappant avec son image publique. Banquier richissime et coriace, il possédait sa propre compagnie à Greenwich, Connecticut, ainsi qu'un autre bureau à Londres. Ce lion puissant et fier, au regard de toutou, était à quarante ans à peine le roi de son domaine d'activités. En la personne de Nora, trente-trois ans, il avait trouvé sa reine, son authentique âme sœur.

— Tu sais que je pourrais t'attacher et t'empêcher de partir, plaisanta-t-il.

— Ce serait génial !

Elle souleva quelques vêtements déjà pliés dans la valise.

— Mais, d'abord, tu pourrais peut-être m'aider à trouver mon cardigan vert ? poursuivit-elle.

Connor finit par s'esclaffer. Elle ne cessait de l'attendrir, tout en ayant sur lui un effet stimulant.

— Tu veux dire celui avec des boutons de nacre ? Il est dans le grand placard.

Elle gloussa.

— Tu t'es encore habillé avec mes vêtements, c'est ça ?

La vaste et sombre penderie l'engloutit. Lorsqu'elle en ressortit, le pull à la main, Connor se tenait au pied du lit, la fixant avec des yeux pétillants et un large sourire.

— Oh là ! Je connais cette expression, dit-elle.

— De quoi parles-tu ?

— De celle qui me dit que tu réclames un cadeau d'adieu.

Elle réfléchit un moment et sourit à son tour. Lâchant le cardigan sur la valise, elle se dirigea lentement vers Connor et s'immobilisa à quelques centimètres de son corps, simplement vêtue de son soutien-gorge et de son slip.

— Voici ton présent, chuchota-t-elle en se penchant vers lui.

Doucement, il lui embrassa le cou et les épaules, puis suivit sur sa peau la ligne imaginaire qui reliait les courbes hardies de ses seins, sur lesquels il s'attarda. Caressant le bras de sa compagne d'une main, il dirigea l'autre vers l'agrafe de son soutien-gorge.

Nora s'abandonna aux sensations voluptueuses qui s'emparaient d'elle. Mignon, drôle et performant. Que demander de plus ?

Il s'agenouilla et posa ses lèvres sur le ventre lisse, sa langue traçant des cercles légers autour du nombril. Un pouce posé sur chacune des hanches de sa partenaire, il baissa lentement le slip, ponctuant chaque étape d'un baiser.

— Mmm… Que c'est bon, murmura Nora.

Alors que son amant se relevait, elle le déshabilla à son tour, conjuguant avec art rapidité et sensualité.

Pendant quelques secondes, ils restèrent immobiles, entièrement nus, se dévorant des yeux. Soudain, la jeune femme eut un petit rire. Elle donna un coup léger sur la poitrine de Connor qui tomba en arrière sur le lit, pénis dressé, prodigieux cadran solaire humain, étendu sur la couette. Plongeant la main dans sa valise, elle en sortit une ceinture de cuir noir qu'elle tendit d'un coup sec.

— Tu parlais bien d'attacher quelqu'un, tout à l'heure?

2

Une demi-heure plus tard, enveloppée d'un peignoir rose en tissu-éponge, Nora descendait le grand escalier de la demeure de Connor. Même selon les critères exigeants des environs de Westchester, cette maison de style colonial – deux étages et plus de mille mètres carrés habitables – était impressionnante. À tous points de vue.

Chaque pièce y atteignait une sorte de perfection. S'y côtoyaient les trésors des meilleurs magasins d'antiquités de New York et du Connecticut. On y admirait des œuvres originales de Monet, de Thomas Cole et de Magritte ; un secrétaire George III au sein d'une bibliothèque qui avait appartenu au célèbre financier J.P. Morgan ; une boîte à cigares offerte autrefois à Fidel Castro par Richard Nixon, avec son certificat d'origine ; et une cave abritant quelque quatre mille bouteilles.

Pour obtenir ce résultat, Connor avait engagé l'une des meilleures décoratrices de New York. Celle-ci s'était révélée tellement douée qu'il l'avait invitée à dîner. Six mois plus tard, elle l'attachait à son propre lit. Il ne s'était jamais senti aussi heureux, aussi exalté, aussi vivant de toute son existence.

Cinq ans auparavant, il avait trouvé l'amour, s'en était émerveillé et l'avait protégé comme son bien le plus précieux ; mais sa fiancée, Moira, avait succombé à un cancer. Il n'avait pas pensé pouvoir s'enflammer de nouveau lorsque, tout à coup, était apparue la nouvelle femme de sa vie.

Nora traversa le vestibule de marbre et passa devant la salle à manger. Avant de partir, elle avait tout juste le temps d'assumer les conséquences de son cadeau d'adieu : satisfaire l'appétit, si savamment aiguisé, de son amant.

Elle pénétra dans sa pièce préférée, la cuisine. Avant d'entrer à l'École de décoration de New York, elle avait caressé l'idée de se consacrer à l'art culinaire et était allée à Paris prendre des cours au *Cordon Bleu*.

Lorsqu'elle s'était tournée vers l'architecture d'intérieur, elle n'avait pas abandonné sa passion première. Concocter des plats la détendait, l'aidait à se vider l'esprit. Même s'il s'agissait simplement de confectionner le régal de Connor, un gros cheeseburger bien juteux avec des oignons et du caviar.

— Chéri, c'est presque prêt ! Tu viens ? cria-t-elle, un quart d'heure plus tard.

Vêtu d'un short et d'un polo, il descendit l'escalier et, d'un pas tranquille, la rejoignit près de la cuisinière.

— Je n'aurais envie…

— … d'être nulle part ailleurs, conclut-elle à sa place.

Il leur arrivait souvent de partager les mêmes formules, petits témoignages de complicité illustrant la qualité de leur entente au cours des moments passés ensemble, trop rares en raison de leurs carrières respectives.

Connor jeta un coup d'œil par-dessus l'épaule de Nora tandis qu'elle coupait un gros oignon.

— Ils ne te font jamais pleurer, hein ?

— Apparemment pas.

Il s'assit devant la table.

— Quand la voiture vient-elle te prendre ?

— Dans moins d'une heure.

Tripotant un napperon, il hocha la tête.

— Où se trouve ce client qui te fait travailler un dimanche ?

— À Boston. C'est un retraité qui vient d'acheter et de rénover un grand hôtel particulier de Back Bay.

Ayant coupé un pain rond en deux, elle disposa sur une moitié les oignons et les deux steaks hachés, puis elle tendit une Amstel *light* à Connor, attrapant pour elle-même une autre bouteille d'Évian.

— C'est meilleur qu'au restaurant, dit-il après avoir savouré la première bouchée. Et le chef a beaucoup plus de charme, je dois l'avouer.

En buvant une gorgée d'eau, elle le regardait manger avec voracité, comme à son habitude. Quel appétit étonnant ! Tant mieux pour lui.

— Bon Dieu, que je t'aime ! s'exclama-t-il soudain.

— Je t'aime aussi, répondit-elle en plongeant son regard dans les yeux bleus débordants de tendresse. Énormément. J'irais même jusqu'à dire que je t'adore.

Il leva les mains, paumes vers le plafond.

— Alors, qu'attendons-nous ?

— Que veux-tu dire ?

— Eh bien, tes vêtements prennent déjà plus de place ici que les miens !

Elle cligna plusieurs fois des paupières.

— Est-ce ta conception d'une demande en mariage ?

— Non. Elle ressemble plutôt à ceci.

Il plongea la main dans la poche de son short et en sortit un petit écrin bleu Tiffany qu'il tendit à sa compagne en mettant un genou à terre.

— Nora Sinclair, tu me rends infiniment heureux. J'arrive à peine à croire que j'ai eu le bonheur de te rencontrer. Veux-tu m'épouser ?

Totalement abasourdie, la jeune femme fit basculer le couvercle et découvrit un énorme solitaire. Des larmes jaillirent de ses yeux verts.

— Oui, oui, oui ! Mille fois oui ! s'écria-t-elle. Je vais t'épouser ! Je suis folle de toi !

Le bouchon de Dom Pérignon 1985 s'éjecta bruyamment, et Connor oublia la bouteille de whisky qu'il avait achetée au cas où sa demande aurait été déclinée.

Les deux coupes remplies, il leva la sienne et porta un toast.

— Et ils vécurent heureux…

— Et ils vécurent heureux, répéta Nora. Mille fois oui !

Ils trinquèrent et savourèrent le picotement des bulles en emmêlant leurs doigts. Étourdis de joie et d'émotion, ils se laissèrent emporter dans un tourbillon de baisers.

Leur célébration fut bientôt interrompue par un coup de klaxon : la limousine était arrivée. Quelques instants plus tard, alors que le véhicule s'ébranlait, la jeune femme ouvrit la vitre arrière.

— Je suis la fille la plus chanceuse du monde ! cria-t-elle à son fiancé.

3

Durant le trajet qui la menait à l'aéroport de Westchester, Nora put à peine détacher les yeux de la pierre éblouissante. Connor ne s'était pas moqué d'elle : c'était un diamant d'au moins quatre carats, d'un blanc exceptionnel, magnifiquement serti dans du platine. Non seulement la bague faisait sur sa main un effet renversant, mais elle semblait faite pour elle.

— Faudra-t-il venir vous chercher à votre retour, madame Sinclair ? demanda le chauffeur qui l'aidait à descendre de la voiture devant le terminal.

— Non merci, tout est déjà organisé.

Elle tendit à l'homme un généreux pourboire, étira la poignée extensible de sa valise roulante et pénétra à l'intérieur de l'aéroport. Ignorant la file interminable de passagers de la classe économique, elle se dirigea vers le comptoir des billets de première classe. La voix de Connor résonnait à ses oreilles, énonçant le début de l'une de leurs maximes favorites.

— Plus cher, peut-être… aurait-il commencé.

— … mais tellement plus agréable ! aurait-elle conclu.

Lorsque l'avion eut décollé sans encombre et atteint son altitude de croisière, Nora s'arracha enfin à la contemplation du bijou. Elle ouvrit le dernier numéro de *Maisons et Jardins* dont l'un des articles principaux, intitulé « Audacieux accords », montrait un intérieur qu'elle avait réalisé pour un client du Connecticut. Les photographies, somptueuses, accompagnaient un texte élogieux auquel ne manquait qu'un seul détail : le nom de la décoratrice.

Tout était précisément tel qu'elle le souhaitait.

Une heure et demie plus tard, l'avion atterrit à l'aéroport de Logan. Nora prit réception de sa voiture de location, une Chrysler Sebring décapotable dont elle ouvrit aussitôt le toit. Les lunettes de soleil sur le nez, elle prit la direction de Back Bay.

Les stations en mémoire sur l'autoradio la convainquirent de deux choses. Primo, elles étaient trop bavardes. Secundo, l'occupant précédent n'avait eu aucune raison de louer cette voiture, car une décapotable réclamait, avant tout, de la musique.

Enclenchant la recherche automatique, elle trouva un air qui lui plaisait. Les cheveux dans le vent, la peau offerte au soleil de la mi-juin, elle chantonna « Je n'ai d'yeux que pour toi », avec les Flamingos.

Après un court trajet, elle gara la voiture devant un hôtel particulier grandiose de Commonwealth Avenue, à la lisière du jardin public. La tranquillité relative de ce dimanche d'été lui valut une petite gratification : un emplacement libre, juste devant.

— C'est mon jour ! murmura-t-elle.

Une fois le contact coupé, elle consacra un moment à rajuster sa coiffure. Barrette ? Pas de barrette ? Barrette ! Avant d'atteindre la double porte massive de la demeure, elle jeta un coup d'œil à sa montre. Il était temps d'entrer en scène.

4

Nora prit dans son porte-monnaie la clé que lui avait donnée Jeffrey Walker lorsqu'il l'avait engagée. L'hôtel étant vaste et l'interphone un peu capricieux, il voulait qu'elle puisse y pénétrer librement. *Adorable*, chuchotait une petite voix dans la tête de la jeune femme.

— Hello ! Il y a quelqu'un ? appela-t-elle en entrant. Hello ? Monsieur Walker ?

Au milieu du vestibule, elle s'immobilisa et tendit l'oreille. Miles Davis et sa trompette ensorcelante lui parvenaient du premier étage.

De nouveau, elle appela. Cette fois, des pas résonnèrent au-dessus de sa tête.

— Nora, c'est toi ? demanda une voix en haut de l'escalier.

— Attendais-tu quelqu'un d'autre, par hasard ? J'aimerais bien voir ça !

Jeffrey Walker descendit précipitamment la rejoindre. Il la souleva dans ses bras et la fit tournoyer en l'embrassant avec fougue, avant d'échanger avec elle un baiser plus tendre et prolongé.

— Bon sang, que tu es belle ! dit-il finalement en la reposant sur le sol.

De sa main gauche, elle lui donna une bourrade affectueuse dans l'estomac. Le diamant de Connor avait laissé place à un saphir de six carats disposé de façon exquise entre deux diamants.

— Je parie que tu dis ça à toutes tes conquêtes, répliqua-t-elle.

— Non, seulement à celles qui sont ravissantes. Tu m'as tellement manqué, Nora. À qui ne manquerais-tu pas ?

Ils s'étreignirent de nouveau avec passion.

— Alors, dis-moi comment s'est passé ton voyage ? s'enquit-il.

— Bien, sur le plan des affaires en tout cas. Et ton nouveau livre ?

— Ce n'est ni *Guerre et Paix* ni *Le Nom de la rose*.

— Tu ne fais que dire ça.

— Parce que c'est toujours vrai.

Auteur de romans historiques de renommée internationale, Jeffrey Sage Walker, quarante-deux ans, suscitait l'intérêt de millions de lecteurs – ou plutôt de lectrices. Ces dernières, outre qu'elles appréciaient son écriture et ses personnages féminins au caractère bien affirmé, n'étaient pas insensibles au beau visage aux traits rudes dont le charme indompté était rehaussé par une chevelure blonde ébouriffée et une barbe de plusieurs jours.

Soudain, il souleva Nora et la jeta par-dessus son épaule. Elle protesta bruyamment tandis qu'il gravissait la volée de marches.

Il se dirigeait vers la chambre à coucher, mais la jeune femme l'obligea à bifurquer dans la bibliothèque. Elle fixa la chaise favorite de l'écrivain, celle sur laquelle il écrivait.

— Tu dis toujours que c'est là que tu travailles le mieux, dit-elle. Voyons si c'est vrai.

Il la déposa sur le coussin marron usagé et mit de la musique. Nora Jones, l'une de leurs chanteuses favorites.

Alors que la voix chaude s'élevait lentement dans la pièce, la visiteuse s'adossa à la chaise et leva les jambes. Jeffrey lui ôta ses sandales, son corsaire et son slip. Alors qu'il l'aidait à retirer son cardigan vert préféré, elle plongea la main dans le jean de son compagnon.

— Mon magnifique, mon brillant époux, murmura-t-elle en baissant le pantalon.

5

Ce soir-là, Nora fit la cuisine : des *penne* avec une sauce à la vodka improvisée à partir de restes, une salade et une bouteille de brunello issue de la cave de Jeffrey. Le dîner fut servi, parfait jusqu'au moindre détail. Exactement comme l'aimait son mari.

Ils mangèrent en parlant du nouveau roman de ce dernier, qui avait pour cadre la Révolution française. L'écrivain était rentré de Paris quelques jours auparavant. Rigoriste en matière de détails, il insistait pour faire ses recherches sur le terrain. Nora menant elle-même une carrière accaparante, ils étaient plus souvent séparés que réunis. En fait, ils s'étaient mariés un samedi à Cuernavaca, au Mexique, et étaient rentrés à la maison le dimanche. Sans tapage, sans cérémonie, sans enregistrement officiel aux États-Unis. Le plus moderne des mariages.

— Tu sais, Nora, je pensais à quelque chose, dit Jeffrey en piquant sa fourchette dans la dernière de ses pâtes. Nous devrions faire un voyage ensemble.

— Serais-tu prêt à m'offrir la lune de miel que tu m'as promise ?

La main sur le cœur, il lui sourit.

— Chérie, chaque jour que je passe avec toi est une lune de miel.

Elle lui rendit son sourire.

— Pas mal répondu, monsieur l'écrivain, mais tu ne t'en sortiras pas avec une bonne réplique.

— D'accord. Où voudrais-tu aller ?

— Que penses-tu du sud de la France? Nous pourrions nous installer à l'Hôtel du Cap?

— Et l'Italie? suggéra-t-il en levant son verre. La Toscane?

— Hé, j'ai trouvé… pourquoi pas les deux?

Jeffrey jeta la tête en arrière en s'esclaffant.

— Ça y est, tu recommences, dit-il en secouant l'index. Tu veux tout à la fois. Et pourquoi pas, au fond.

Ils terminèrent leur dîner en envisageant d'autres destinations. Madrid, Bali, Vienne, Lanai, et finirent par se mettre d'accord sur le fait d'avoir recours à une agence de voyages.

À 11 heures, ils étaient blottis l'un contre l'autre dans leur lit. Un mari et sa femme, terriblement amoureux.

6

Le lendemain, quelques minutes après midi, au coin de la 42ᵉ Rue et de Park Avenue, une femme hurla. Une autre tourna la tête pour voir ce qui se passait et hurla à son tour. L'homme qui se trouvait près d'elle poussa un juron. Et tous trois coururent se mettre à l'abri.

Quelque chose de très fâcheux se produisait. Une sortie de rails, pour ainsi dire, juste devant Grand Central Station, la gare la plus célèbre du monde.

La réaction de panique en chaîne chassa rapidement tout le monde du trottoir. Tout le monde, excepté trois personnes.

La première était un homme corpulent aux cheveux rares arborant une moustache et des pattes épaisses, habillé d'un costume marron mal taillé au veston garni de larges revers. Sa cravate bleue, d'un tissu brillant, paraissait plus large encore. À ses pieds reposait une valise de taille moyenne.

Près de lui se dressait une jolie jeune femme d'environ vingt-cinq ans, dont les cheveux roux, très raides, tombaient jusqu'aux épaules, effleurant un visage constellé de taches de rousseur. Elle portait un débardeur blanc et une minijupe écossaise. Un sac à dos avachi était accroché à l'une de ses épaules.

Ces deux personnes n'auraient pu avoir un aspect plus différent. Pourtant, à ce moment précis, elles étaient on ne peut plus unies.

Par un revolver.

— Si tu fais un pas de plus, je la tue ! aboya le Gros.

Il appuya l'acier froid du canon sur la tempe de sa prisonnière.

— Je te jure que je l'abats. En une seconde. Sans problème.

La menace était dirigée vers le dernier individu présent sur le trottoir, un personnage placé à trois mètres environ, vêtu d'un T-shirt noir et d'un baggy kaki. Une allure de touriste banal, peut-être en provenance de l'Ouest... De l'Oregon ? De l'État de Washington ? Un athlète ? Un adepte des salles de sport, visiblement.

Soudain, lui aussi sortit un revolver.

Il avança d'un pas, l'arme pointée sur le front du moustachu, apparemment indifférent au fait que la jeune femme se trouvait dans sa ligne de tir.

— Je me fous de ce que tu fais avec elle, laissa-t-il tomber.

— J'ai dit stop ! Reste où tu es !

Le Touriste avança d'un pas.

— Putain, je te jure que je vais la buter ! s'exclama le Gros.

— Non, tu ne le feras pas. Si tu tires, je tire aussi.

Il risqua un autre pas, puis s'immobilisa.

— Réfléchis, mon vieux, reprit-il. Je sais que tu ne peux pas te permettre de perdre ce qui est dans la valise, mais ta vie vaut plus cher, non ?

Son interlocuteur plissa les paupières et parut soudain en proie à une grande souffrance. Il pesait les paroles du Touriste. Tout à coup, un sourire de fou se dessina sur son visage. Il fit sauter le cran de sûreté.

— Je vous en prie ! supplia la jeune femme en tremblant. Je vous en prie !

Elle défaillait ; des larmes jaillissaient de ses paupières.

— La ferme ! hurla le Gros dans son oreille. La ferme, bordel ! Je ne m'entends pas penser !

Le Touriste, impassible, fixait de son regard bleu un seul point : l'index de l'homme sur la détente. Et il n'aimait pas ce qu'il voyait.

Le doigt se contractait.

Bon sang, ce porc allait tuer la fille ! C'était tout simplement inacceptable.

7

— Oh là ! s'écria le Touriste, la main levée. Du calme, mon gars.

Il recula un peu et émit un petit rire.

— Impossible de faire illusion, hein ? J'avoue que je ne suis pas un tireur d'élite ; je ne serais pas sûr de t'avoir sans blesser la fille.

— Très juste, dit le Gros, resserrant son bras bouffi autour de la prisonnière. Dis-moi maintenant qui commande ici ?

— Toi ! répondit le Touriste avec un signe de tête respectueux. Dis-moi seulement ce que je dois faire. Si tu veux, je pose mon revolver sur le trottoir, d'accord ?

L'homme fixa son interlocuteur avec un nouveau plissement des paupières.

— Ouais, mais lentement.

— Sûr. Tout doux, tout doux. Fais-moi confiance.

Le Touriste baissa la main au ralenti. Une exclamation étouffée se fit entendre près d'une cabine téléphonique ; une autre jaillit de derrière une camionnette sur la 42e Rue. Les fuyards, désireux de ne rien rater de l'événement, pensaient tous la même chose. Ne le fais pas. Ne donne pas ton revolver. Il va te tuer, et fera de même avec elle !

Pliant les genoux, le Touriste s'accroupit et posa l'arme sur le trottoir d'un geste maladroit.

— Tu vois, ça y est. Et maintenant ?

Le Gros s'esclaffa, la grosse moustache hérissée s'incurvant sous son nez.

— Maintenant ? dit-il en hoquetant.

Son rire devint tonitruant ; il ne pouvait plus se retenir.

— Maintenant, je veux que tu meures.

C'est alors que le Touriste agit.

En un clin d'œil, d'un mouvement rapide et sûr, il sortit un Beretta 9 millimètres d'un étui attaché autour de sa cheville, tendit le bras et tira. La détonation retentit avant que quiconque ait saisi ce qui s'était passé, le Gros y compris.

Le front percé d'un trou de la taille d'une petite pièce de monnaie, il se figea un instant, semblable à une gigantesque statue de Bouddha. Les témoins hurlèrent, la jeune femme au sac à dos tomba à genoux et, avec un bruit effrayant, le Gros s'effondra sur le trottoir encombré de détritus. Son sang jaillissait comme une fontaine.

Le Touriste remit le Beretta dans l'étui et l'autre revolver dans sa banane. Il se releva, saisit la valise et la transporta jusqu'à une Ford Mustang bleue garée en double file dont le moteur avait continué à tourner pendant toute la scène.

— Bonne journée, mesdames et messieurs, lança-t-il aux spectateurs muets de stupéfaction. Vous avez de la chance, reprit-il en s'adressant à la jeune femme qui serrait son sac à dos sur sa poitrine.

Grimpant au volant, il demarra. Avec la valise.

8

Dès que le feu passa au vert, le chauffeur de taxi new-yorkais écrasa la pédale comme s'il s'agissait d'un cafard. Il faillit en même temps faire valser un coursier à vélo, cette espèce rare, pour qui les feux rouges et les stops ne sont que les élucubrations d'un esprit malade, des plaisanteries de mauvais goût.

Alors que la voiture pilait en plein milieu du carrefour, le cycliste fit une embardée, frôlant presque le pare-chocs.

— Sale con ! hurla-t-il en jetant un coup d'œil par-dessus son épaule, avant de poursuivre son chemin.

— Va te faire foutre ! beugla le chauffeur.

Il regarda Nora dans son rétroviseur, leva les sourcils de dégoût et accéléra comme si rien ne s'était passé.

La passagère secoua la tête et sourit. Qu'il était bon de rentrer chez soi !

Se dirigeant vers le sud de Manhattan, le véhicule bondit sur la 2e Avenue. Après avoir croisé quelques rues, le chauffeur alluma la radio. C'était le bulletin d'informations de 10 h 10.

Un homme à la voix grave et onctueuse achevait une analyse de la dernière crise suscitée par le calcul du budget de la ville. Tout à coup, il annonça un reportage en direct et passa l'antenne à l'une de ses collègues.

Une demi-heure auparavant, un fait divers étrange et angoissant s'était déroulé au coin de la 42e Rue et de Park Avenue, devant Grand Central Station.

Un homme, qui avait pris une jeune femme en otage à l'aide d'un revolver, avait été abattu par un autre homme qui, selon les témoins, était sans doute un agent infiltré.

Pourtant, quand ses supposés collègues avaient fini par arriver, ils avaient constaté que l'homme n'appartenait pas à la police. En fait, personne ne semblait savoir qui il était. Après la fusillade, il avait disparu en s'emparant d'une valise appartenant au preneur d'otage.

Alors que la journaliste promettait de tenir les auditeurs au courant du développement de cette affaire, le chauffeur laissa échapper un long soupir en regardant dans son rétroviseur.

— On avait bien besoin de ça, hein ? dit-il. Encore un membre d'un groupe d'autodéfense improvisé.

— Je doute que ce soit le cas, rétorqua Nora.

— Pourquoi dites-vous ça ?

— La valise. Ce qui est arrivé a de toute évidence un rapport avec elle.

L'homme haussa les épaules en opinant du chef.

— Ouais, vous avez sans doute raison. Vous croyez qu'elle contenait quoi ?

— Je n'en sais rien, mais je suis prête à parier qu'il ne s'agissait pas de vêtements sales.

9

Il y avait une pensée que Nora aimait particulièrement, même si elle n'en connaissait pas l'origine, car elle y adhérait de tout son cœur : « La vie réelle n'est presque jamais celle que l'on mène. » Eh bien, cette phrase ne s'appliquait pas à elle.

À SoHo, au coin des rues Mercer et Spring, elle paya le chauffeur et roula sa valise dans le vestibule de marbre qui s'étirait sur deux niveaux. L'immeuble était un entrepôt reconverti en appartements de luxe, véritable paradoxe ailleurs qu'à New York City.

Son loft occupait la moitié du dernier étage. En deux mots, espace et classe : meubles de style, parquet de bois brésilien et cuisine high-tech. Calme, tranquille et élégant, ce lieu était son sanctuaire. Elle n'aurait aimé se trouver nulle part ailleurs.

En fait, Nora adorait faire visiter cet endroit aux rares personnes qui lui plaisaient. Avec passion, elle avait rassemblé une foule d'objets en faisant le tour des antiquaires, des marchés aux puces et des galeries d'art de toutes les villes qu'elle avait visitées, aux États-Unis et en Europe. Argenterie, verrerie et peinture : tout ce qu'il était possible de collectionner suscitait son intérêt.

À l'entrée se dressait une sentinelle : statue d'un nu masculin, haute d'un mètre quatre-vingts, signée Javier Marin. Dans le salon, elle avait aménagé deux coins intimes, l'un de cuir blanc, l'autre de cuir noir. Sa chambre à coucher, saisissante et très suggestive, s'ornait de murs grenat, d'appliques et de miroirs dorés. Un décor de bois ancien, sculpté de volutes, s'étendait au-dessus du lit.

Allez-y, essayez de deviner qui je suis !

La jeune femme prit une bouteille d'Évian dans le réfrigérateur et passa quelques coups de fil, l'un d'eux à Connor –
obligation qu'elle qualifiait intérieurement de contrat d'entretien – et un autre à Jeffrey.

Peu après 20 heures, elle pénétrait dans un restaurant de
Greenwich Village. Qu'il était bon d'être chez soi ! Pour un
lundi, l'établissement était bondé. Les bruits de couverts se
mêlaient en un joyeux brouhaha au bavardage des citadins
branchés qui occupaient les deux niveaux.

Au rez-de-chaussée, où le service était plus décontracté,
Nora aperçut Elaine et Alison, ses deux meilleures amies, déjà
installées. Ignorant l'hôtesse qui s'avançait vers elle, elle se
précipita vers leur table. Chacune reçut un baiser sur la joue.
Dieu, qu'elle adorait ces filles !

— Alison a le béguin pour le serveur, lui annonça Elaine
tandis qu'elle s'asseyait.

L'intéressée leva au ciel ses grands yeux bruns.

— J'ai simplement dit qu'il était mignon ! Il s'appelle Ryan.
Ryan Pedi. Même son nom est mignon.

— Pour moi, c'est de l'amour ! souligna l'arrivante, entrant
dans le jeu.

— Tu vois, témoignages concordants ! dit Elaine, avocate
de l'un des cabinets les plus importants de la ville.

Quand on parle du loup... Le jeune serveur, grand brun
ténébreux, apparut près de la table pour demander à Nora si
elle voulait boire quelque chose.

— Juste de l'eau, s'il vous plaît. Avec des bulles.

— Ah non ! Ce soir, tu bois avec nous, ma belle. Ne discute
pas. Elle prend un Cosmopolitan.

— Tout de suite.

Avec un bref salut, il fit demi-tour et s'éloigna.

Nora mit la main sur le côté de la bouche et chuchota :

— C'est vrai qu'il est croquignolet !

— Ah, tu vois ! dit Alison. Dommage qu'il ait à peine
atteint l'âge de trinquer.

— Et surtout de prendre l'initiative! intervint Elaine. Mais peut-être que nous vieillissons au point qu'ils nous paraissent tous beaucoup trop jeunes?

Elle laissa tomber le menton sur sa poitrine.

— Ça y est, je me sens déprimée.

— Changement de sujet immédiat! décréta Nora. Alors, quelle est la tendance pour cet automne, demanda-t-elle à Alison?

— Crois-le ou non, probablement le noir.

La jeune femme était rédactrice de mode du seul magazine qui, selon elle, pouvait casser un pied si on se le laissait tomber dessus, et dont le principe était simple : de grands encarts publicitaires représentant des mannequins anorexiques vêtus de créations de haute couture ne passent jamais de mode.

— Alors, quoi de neuf? reprit-elle. Tu n'es jamais là! Un vrai fantôme, ma vieille.

— Je sais, c'est dingue. Je viens juste de rentrer. Les résidences secondaires font fureur en ce moment.

Son interlocutrice laissa échapper un soupir.

— J'ai assez de problèmes pour payer la principale... Au fait, est-ce que je vous ai parlé du type qui vient d'emménager à mon étage?

— Le sculpteur qui n'écoute que de la musique New Age? susurra Elaine.

— Non, lui, il est là depuis plusieurs mois. Il a acheté l'appartement du coin.

— Quel est le verdict? interrogea l'avocate.

— Célibataire, oncologiste et adorable.

Elle haussa les épaules et poursuivit :

— On peut faire pire que d'épouser un riche médecin, non?

À peine eut-elle prononcé ces mots qu'elle leva une main devant sa bouche. Un lourd silence s'établit.

— Ne vous en faites pas, les filles, dit Nora.

— Je suis désolée, ma belle, s'écria Alison, confuse. J'ai parlé sans réfléchir.

— Mais je t'assure que tu n'as pas à t'excuser.

— Changement de sujet immédiat ! intervint Elaine.

— Vous êtes idiotes toutes les deux. Ce n'est tout de même pas parce que Tom était médecin que nous ne devons plus jamais parler de blouses blanches !

Nora posa sa main sur celle de son amie.

— Parle-nous de ton oncologiste.

Alison s'exécuta et la conversation reprit. Elles se connaissaient depuis trop longtemps pour laisser un moment embarrassant entraver leur complicité.

Le jeune serveur revint avec le Cosmopolitan et leur énuméra les plats du jour. Alors qu'elles dînaient, en riant et en se régalant de potins, Nora semblait parfaitement à l'aise et détendue. Aucune de ses compagnes n'aurait pu deviner que ses pensées restaient fixées sur un seul sujet : la mort de son premier mari, le docteur Tom Hollis.

Ou, plus exactement, son meurtre.

10

Un grand verre d'eau et une aspirine. De quoi prévenir les conséquences détestables d'un dîner abondamment arrosé, suivi de digestifs. Jamais Nora ne s'enivrait, car elle détestait l'idée de ne plus être maîtresse d'elle-même. Mais, ce soir, elle s'était laissée griser par la compagnie agréable de ses amies, conjuguée aux boissons fortes.

Deux verres d'eau et deux aspirines.

Après avoir enfilé son pyjama de coton préféré, elle ouvrit le tiroir inférieur de sa grosse commode et en tira un album de photographies enfoui sous plusieurs pulls de cachemire.

Elle referma le tiroir, éteignit toutes les lampes à l'exception de celle de la table de nuit, se mit au lit et ouvrit le recueil à la première page.

— Là où tout a commencé, chuchota-t-elle.

Les clichés retraçaient, dans l'ordre chronologique, l'histoire de sa relation avec le premier amour de sa vie, qu'elle avait surnommé « Docteur Tom ». Leur tout premier week-end ; un concert à Tanglewood ; le séjour idyllique dans une suite de l'auberge la plus luxueuse de Lenox.

La page suivante évoquait une conférence médicale à Phoenix à l'occasion de laquelle ils s'étaient installés dans un hôtel somptueux. Puis venaient les photographies traditionnelles du mariage, prises au Jardin botanique de New York. À Nevis, où s'était déroulée la lune de miel, la jeune femme avait passé l'une des plus belles semaines de sa vie.

Entre tous ces événements s'intercalaient des souvenirs de réceptions, de dîners, de facéties : visages déformés par des grimaces ; Nora touchant son nez du bout de la langue ; Tom retroussant la lèvre supérieure comme Elvis, à moins qu'il n'ait voulu imiter Bill Clinton.

Sur les dernières pages, les photos cédaient la place à des coupures de presse : l'annonce de faire-part de décès et divers articles jaunis par le passage du temps. Nora avait tout conservé.

Le *New York Post* titrait : « Un médecin réputé de Manhattan meurt d'une erreur de prescription. » « Un médecin victime de son propre traitement » déclarait le *Daily News*. Pour le *New York Times*, pas d'hyperbole : juste une simple annonce au titre prosaïque : « Docteur Tom Hollis, cardiologue éminent, mort à quarante-deux ans. »

Nora referma l'album et s'allongea, songeant aux événements de cette période. Au point de départ, qui avait tout déclenché – le début véritable de sa vie. Ses pensées se tournant alors tout naturellement vers Jeffrey et Connor, elle jeta un coup d'œil à l'annulaire de sa main gauche, dépourvu de bague pour l'instant. Il lui fallait prendre une décision.

Instinctivement, elle se mit à dresser deux listes, avec méthode et concision, comparant les avantages des deux hommes. Jeffrey contre Connor.

Agréables, amusants, ils s'étaient révélés des amants merveilleux et lui donnaient le sentiment d'être unique. En outre, ils n'avaient rien à envier aux stars de cinéma en matière de séduction. En fait, elle les aimait autant l'un que l'autre. Ce qui rendait sa décision infiniment délicate.

Lequel des deux allait-elle supprimer ?

11

Bon, c'est ici que ça se complique. Et qu'on se met à flipper.

Le Touriste s'était installé dans une cafétéria située sur la 33e Rue Ouest. Presque toutes les autres tables étaient occupées par des traînards, mais l'endroit ne présentait aucun danger ; en raison, probablement, du nombre incroyable de glandeurs qu'il rassemblait, et sans doute aussi parce que, pour un peu plus de trois dollars, on pouvait y manger quelque chose avec son café.

Au sujet de la valise qu'il s'était appropriée devant Grand Central Station et qui se trouvait, à la minute présente, coincée entre ses jambes, il savait déjà trois choses.

Primo : elle était déverrouillée.

Secundo : elle contenait des vêtements masculins froissés et une trousse de cuir brun.

Tertio : la trousse contenait les accessoires de rasage habituels, mais aussi quelque chose de plus intéressant : une clé USB ou, en d'autres termes, un mini-disque dur qu'il suffisait de brancher sur le port adapté d'un ordinateur. Indéniablement à l'origine de tout, ce joujou minuscule n'atteignait pas la longueur de son doigt. Il pouvait néanmoins contenir un tas d'informations, ce qui, dans le cas présent, était plus que vraisemblable.

Le Touriste avait sorti son Mac portable. Le moment de vérité était arrivé.

Il inséra la clé dans l'ordinateur.

Pourquoi avait-elle causé la mort de ce malheureux gros tas, dans la 42e Rue ?

L'icône apparut sur l'écran : E.

Le Touriste entreprit le transfert des fichiers sur son disque dur interne. Allons-y. *Allons, allons, mes petits... mes chéris !*

Deux minutes plus tard, il devenait possible de les ouvrir. Mais l'homme suspendit son action. Une jolie fille – cheveux noirs et rouges hérissés, hélas ! – jetait un coup d'œil furtif sur l'écran. Il tourna la tête de son côté.

— Tu sais ce qu'on dit : je peux te montrer mon fichier, mais je devrai te supprimer ensuite.

Elle esquissa un sourire.

— On dit aussi : si tu me montres le tien, je te montre le mien.

Le Touriste s'esclaffa.

— Tu n'as pas de portable.

Son interlocutrice haussa les épaules.

— Tant pis pour toi. Tu es mignon, pour un petit con, ajouta-t-elle en s'éloignant.

— Va chez le coiffeur ! rétorqua-t-il avec un large sourire.

Il reporta son attention sur l'écran.

Ce qu'il découvrit était cohérent... enfin presque. Mais y avait-il quelque chose de cohérent en ce bas monde ?

Le fichier rassemblait des noms de personnes, des adresses et des coordonnées de banques en Suisse et dans les îles Caïmans. Des comptes offshore. Des chiffres.

Le Touriste se livra à un rapide calcul mental, approximatif, mais révélateur.

Un peu plus de 1,4 milliard !

12

New York est peut-être la ville qui ne dort jamais, mais, à 4 heures du matin, certains endroits sont à peine éveillés. C'était le cas du niveau inférieur, faiblement éclairé, d'un parking souterrain situé au sud de l'East Side. Le cinquième sous-sol était un modèle de tranquillité. Un cocon de béton. On n'y entendait que le bourdonnement soporifique de l'éclairage fluorescent fixé au plafond, et le tapotement d'un doigt impatient sur le volant d'une Ford Mustang au repos.

À l'intérieur de la voiture, le Touriste jeta un coup d'œil à sa montre et secoua la tête, le majeur tambourinant toujours. Son contact avait du retard. Deux jours, très exactement. Un rendez-vous manqué. Mauvais signe, sans nul doute.

Dix minutes plus tard, des phares illuminèrent le mur de la rampe qui menait au niveau supérieur. Une fourgonnette Chevrolet blanche apparut, arborant sur ses flancs une enseigne de fleuriste. « Fleurs de Lucille. »

Je rêve, se dit le Touriste. *Une camionnette de livraison de fleurs ?*

Le véhicule s'approcha de la Mustang et s'arrêta à quelques mètres. Après avoir coupé le moteur, un homme élancé et très mince en descendit, vêtu d'un costume gris, d'une chemise blanche et d'une cravate. Il se dirigea vers la voiture, laissant à l'intérieur de la camionnette quelque chose qui ne bougeait pas.

Le Touriste sortit à son tour et avança à la rencontre de l'arrivant.

— Tu es en retard, dit-il.

— Et toi, tu as de la chance d'être vivant, répliqua le contact.

— Tu sais, certaines personnes appellent ça du talent.

— Je t'accorde quelques points pour le tir. En plein milieu du front, paraît-il ?

— Le gars était dégarni, c'était facile. La fille va bien ?

— Elle est secouée, mais ça va. C'est une pro, comme toi.

L'homme mince glissa les doigts dans son veston. Il en sortit un paquet de Marlboro et en offrit une à son interlocuteur.

— Non merci. J'ai profité du Carême pour arrêter. Il y a quinze ans.

Sa cigarette allumée, l'homme secoua la main pour éteindre l'allumette.

— Que dit la police ? s'enquit le Touriste.

— Pas grand-chose. Disons qu'ils essaient de s'y retrouver dans les témoignages discordants.

— Tu avais envoyé quelqu'un, je parie.

— Deux témoins oculaires. Ils ont tous les deux affirmé que tu avais un bouc et une cicatrice sur le cou.

— Futé. Et la presse ?

— En effervescence. Un seul mystère se révèle plus palpitant que ton identité : le contenu de la valise. Au fait, puisqu'on en parle...

— Elle est dans le coffre.

Tous deux contournèrent la Mustang. Le Touriste ouvrit la porte, prit la valise et la posa sur le sol. Son compagnon la contempla un moment.

— Tu aurais aimé savoir ce qu'elle contient ? demanda-t-il.

— Comment sais-tu que je ne l'ai pas ouverte ?

— Je le sais.

— D'accord, mais comment ?

L'homme laissa échapper un rond de fumée.

— Notre conversation serait alors très différente.

— Est-ce que je suis censé comprendre ce que ça veut dire ?

— Sûrement pas. Tu n'es pas dans le circuit.

Le Touriste changea de sujet.

— Et maintenant, il se passe quoi?

— Maintenant, tu te fais oublier. Tu as autre chose sur le feu, non?

— Ouais, une mission intéressante. Qui est dans la camionnette?

— Tu t'es bien démerdé. Il m'a dit de te le dire, ça s'arrête là.

— Je me débrouille, oui. C'est pour ça qu'on fait appel à moi.

Ils échangèrent une poignée de main. Le Touriste suivit des yeux l'homme mince jusqu'à ce qu'il remonte dans la fourgonnette avec la valise, puis il fit démarrer le moteur. Seraient-ils capables de s'apercevoir qu'il avait eu accès au contenu de la clé? Qu'ils le découvrent ou non, il était maintenant dans le circuit. Même s'il aurait bigrement préféré rester en dehors.

13

La matinée de Nora était chargée. Après avoir fait avec délectation quelques achats pour elle-même dans une boutique sophistiquée de la 61ᵉ Rue Est, il lui fallait explorer, pour une cliente, deux magasins près de Union Square, puis se rendre dans un hall d'exposition d'architecture et une jardinerie.

Elle recherchait des meubles pour Constance McGrath, l'une de ses premières clientes. Celle-ci, hautaine et exigeante, venait de quitter un deux-pièces chic de l'East Side pour un deux pièces encore plus chic du Dakota, célèbre immeuble situé à l'ouest de Central Park, où *Rosemary's Baby* avait été filmé et devant lequel John Lennon avait été abattu. Ancienne actrice de théâtre, Constance avait encore le sens de la mise en scène. Elle avait expliqué ainsi son déménagement :

— Le soleil se couche à l'ouest. Dans cet appartement, le dernier, ce sera aussi mon cas.

La décoratrice appréciait cette star sur le retour qui se montrait exubérante, directe et aimait utiliser l'une des expressions favorites des décorateurs : « Ne lésinez pas sur les moyens. » Non moins remarquable était le fait qu'elle ait survécu à deux époux.

— Je n'en crois pas mes yeux ! s'exclama une voix masculine.

Nora se retourna. Evan Frazer s'avançait vers elle, les bras grands ouverts. Il tenait un vaste magasin d'antiquités qui occupait la majeure partie du cinquième étage.

— Evan ! s'écria Nora. Je suis si contente de te voir !

— Et moi donc !

Il embrassa la jeune femme sur les deux joues.

— Pour quel richissime client travailles-tu, aujourd'hui ?

Des « $ » clignotaient presque dans ses yeux.

— Je ne peux pas te révéler son identité, bien sûr, mais tu seras heureux d'apprendre qu'elle bazarde son décor français pour une atmosphère anglaise traditionnelle.

— Alors tu es venue au bon endroit, dit-il en souriant de toutes ses dents. D'ailleurs, n'est-ce pas ce que tu fais toujours ?

Au cours des deux heures suivantes, Evan montra à Nora tous les meubles anglais qu'il possédait. Il avait appris au fil du temps comment lui présenter les choses : ce qu'il valait mieux dire ou ne pas dire ; et ce qu'il fallait à tout prix éviter de faire remarquer.

Elle détestait qu'un vendeur lui souligne la beauté d'un objet, comme s'il pouvait imaginer qu'elle puisse se laisser influencer. Son propre goût, ses propres critères esthétiques, en partie innés, avaient été développés et affinés par l'expérience. Elle leur faisait totalement confiance.

— Est-ce qu'elle est livrée avec une rallonge ou deux ? demanda-t-elle en se penchant au-dessus d'une table en hêtre ornée d'une bande décorative de citronnier.

— Une seule, mais on peut en mettre une seconde. Je me chargerai de la faire fabriquer, si tu veux.

— Une seule suffira.

Elle regarda l'étiquette – précaution inutile, dans le cas de Constance McGrath – et, reculant d'un pas pour mieux voir le meuble, elle donna son accord.

— Adjugé !

Evan appliqua immédiatement sur la table un Post-it avec la mention « Vendu ». Il avait déjà accompli ce geste sur un meuble d'angle, une haute commode et un canapé. Nora était satisfaite.

Tous deux s'assirent sur un grand sofa afin que l'antiquaire établisse la facture. Aucune allusion ne fut faite à la commission de dix pour cent de Nora. Elle était implicite.

Après avoir pris congé, la jeune femme s'arrêta dans un petit restaurant pour un repas léger. En fait, elle avait déjà acheté tout ce qu'il lui fallait. Dégustant une salade composée et une crêpe, elle passa quelques coups de fil.

Elle téléphona à Constance pour lui faire un rapport enthousiaste sur les emplettes de la matinée, puis rappela Jeffrey et Connor qui lui avaient laissé des messages. Son contrat d'entretien de la journée était rempli.

14

Elle devait maintenant se rendre au cabinet d'un avocat d'affaires, 49ᵉ Rue Est.

— Alors, madame Sinclair, que puis-je faire pour vous ? s'enquit Steven Keppler, séparé de sa cliente par un vaste bureau.

Nora lui délivra un sourire chaleureux.

— Je vous en prie, appelez-moi Olivia.

— Entendu, Olivia, dit-il, lui renvoyant un sourire un peu trop appuyé. Vous savez que c'est le nom de mon bateau ?

— Pas possible ! gloussa-t-elle. Je considère que c'est bon signe.

Un signe beaucoup plus favorable encore se manifestait : la façon dont Steven Keppler – la cinquantaine, le crâne chauve mal dissimulé par une mèche transversale – reluquait ses seins et ses jambes. Tout allait marcher comme sur des roulettes.

Les autres avocats mâles répertoriés par Nora n'avaient pas un instant de libre avant deux ou trois semaines. Il en avait été de même pour Steven Keppler, mais un client s'était désisté juste avant qu'elle n'appelle, ce qui lui avait permis d'obtenir une entrevue le lendemain. Sous le nom d'Olivia. Pour ce qu'elle avait en tête, il lui fallait emprunter le prénom de sa mère.

Elle poursuivit :

— Ce que vous pouvez faire, Steven, c'est monter une affaire pour moi.

Et je te signale en passant qu'elle n'est pas située dans mon soutien-gorge.

— Il se trouve que c'est ma spécialité, répliqua l'homme de loi.

Nora réprima un mouvement de recul quand elle le vit terminer sa phrase avec un clin d'œil et un claquement bruyant des lèvres.

— Où sera-t-elle localisée ? demanda-t-il.

— Dans les îles Caïmans.

— Ah !

Il s'interrompit, le visage légèrement préoccupé. Sa très jolie cliente au chemisier de soie et à la jupe très courte cherchait indubitablement à tromper le fisc.

— J'espère que cela ne pose aucun problème, susurra la jeune femme.

Le regard de Keppler redoubla de concupiscence.

— Eh bien, non, je ne vois pas pourquoi… il… il y en aurait, bégaya-t-il. Simplement, pour créer une affaire, il faut la coopération d'un agent agréé par l'État. Pour parler plus simplement, d'un résident des îles Caïmans qui puisse servir de prête-nom pour représenter votre firme. Suis-je assez clair ?

Nora, qui avait très bien étudié la question, le regardait comme si elle buvait ses paroles.

— Et par le plus grand des hasards, ajouta Keppler, il se trouve que l'un de ces agents travaille pour moi.

— Quelle chance ! s'exclama son interlocutrice.

— Bon, je suppose qu'il va vous falloir ouvrir un compte en banque sur place, n'est-ce pas ?

Quelle intuition !

— Oui, je pense que ce serait une bonne idée. Pouvez-vous faire cela pour moi ?

— En principe, c'est vous qui devez vous en occuper.

De nouveau, Nora se tortilla sur sa chaise.

— Oh, cela ne m'arrange pas du tout ! s'écria-t-elle.

— Je m'en doute.

Il se pencha par-dessus son bureau.

— Je pourrais peut-être user de mon influence pour vous éviter le voyage ?

— Ce serait merveilleux ! Vous me sauvez la vie !

Tendant le bras, il ouvrit un tiroir de classement duquel il sortit quelques formulaires.

— Il me faut simplement quelques informations sur vous, Olivia.

15

Juste avant le crépuscule, la limousine, quittant le trafic intense de la Route 9, bifurqua dans une rue pittoresque, puis remonta une avenue résidentielle avant de s'engager dans l'allée menant à la demeure de Connor. Le chauffeur, qui descendait de voiture afin d'ouvrir la portière pour Nora, fut pris de vitesse par le propriétaire des lieux, visiblement fou d'impatience.

— Viens ici, toi! fit-il avec un signe de la main. Je n'en pouvais plus de t'attendre!

Nora pivota sur son siège, posa les pieds sur le sol et sauta immédiatement dans ses bras. Il s'embrassèrent fougueusement tandis que le chauffeur, un Italien robuste d'âge mur, ouvrait le coffre et sortait la valise de la jeune femme. Il essayait de ne pas se montrer indiscret, mais ne pouvait s'empêcher de regarder le tableau que formait, dans le soleil couchant, devant l'une des maisons les plus belles qu'il ait jamais vues, ce couple charmant et visiblement très épris. *Si ce n'est pas le summum*, se dit-il, *je ne sais pas ce que c'est.*

— Voilà, dit Connor, sortant de la poche de son pantalon une poignée de billets.

Il laissa un pourboire de vingt dollars.

— Merci, monsieur, dit l'homme avec un lourd accent. Vous êtes trop gentil.

— Et trop mignon! roucoula Nora, les bras autour de la taille de son amant.

Le chauffeur rit et retourna vers sa voiture.

— Bonne nuit, les enfants! lança-t-il par-dessus son épaule.

Les amoureux s'esclaffèrent et suivirent des yeux le véhicule qui tourna dans la rue et disparut. Nora se détacha de Connor.

— Alors, comment va ton travail ? demanda-t-elle. Non, à la réflexion, je n'ai pas envie de parler boulot.

— Moi non plus. Tu te rends compte, tout ce labeur, sans la moindre distraction…

— … qu'est-ce que ça nous emmerde !

— Et si on fêtait ici nos retrouvailles ? dit-elle avec un clin d'œil. Juste ici, sur la pelouse. Que les voisins aillent se faire voir ! Ou plutôt qu'ils viennent nous voir, s'ils le veulent. Ça les inspirera peut-être !

Connor lui saisit la main.

— En fait, j'ai une meilleure idée.

— Ah bon ? Meilleure que de faire l'amour avec moi ? Je brûle de curiosité.

— C'est une surprise, répliqua-t-il. Suis-moi.

16

— Tu veux le faire dans le garage ? demanda Nora en pouffant.

Son compagnon étouffa un rire.

— Non. Remarque, ce ne serait pas une si mauvaise idée.

Ayant contourné la maison, ils s'étaient arrêtés à quelques mètres du garage à cinq places. Toutes les portes étaient fermées.

— Tu es prête ?

Connor plongea la main dans la poche de son pantalon et en sortit la télécommande, munie de cinq boutons. Il pressa celui du milieu.

Lentement, la porte se souleva.

— Jésus Marie Joseph ! s'exclama Nora.

Un cabriolet Mercedes rouge vif leur faisait face, le capot recouvert d'un nœud géant.

— Qu'en dis-tu ?

Nora était bouche bée.

— Si tu deviens ma femme, tu vas avoir besoin de ta propre voiture, non ?

Elle resta bouche bée.

— Dois-je comprendre que tu es surprise ? dit-il, visiblement enchanté.

Sa compagne bondit dans ses bras.

— Tu es absolument stupéfiant, articula-t-elle enfin. Merci, merci, merci !

Elle fit scintiller le diamant de sa main gauche.

— D'abord cette bague magnifique, et maintenant…

— … un porte-clés, conclut-il comme s'il s'agissait de l'une de leurs répliques. La clé t'attend, à sa place.

Il porta Nora jusqu'au garage, la déposa doucement à la place du conducteur et se précipita de l'autre côté, retirant le nœud au passage. Il sauta par-dessus la portière, comme un écolier.

— Tu m'emmènes ? cria-t-il.

Elle admirait l'intérieur du véhicule, caressant la housse de cuir cousue main du volant.

— Est-ce que tu penses qu'il faut la roder ?

— Absolument. Elle est là pour ça.

Prestement, Nora se retourna et rejoignit Connor. À genoux au-dessus de lui, elle passa les doigts dans ses épais cheveux bruns, en posant des baisers légers sur son front, ses joues et sa bouche, puis déboutonna sa chemise de sport.

— Tu crois que les sièges s'inclinent correctement ? demanda-t-elle.

— Il faut que je vérifie.

Tout naturellement, le dossier s'inclina avec un ronronne-ment étouffé. Ils se déshabillèrent comme si les vêtements leur brûlaient les doigts : chemise, chemisier, soutien-gorge, pantalon, jupe, slip et caleçon.

— Je t'aime, dit Connor en plongeant son regard dans les yeux de la jeune femme.

Il était impossible de ne pas le croire et de ne rien éprou-ver en retour.

— Moi aussi, je t'aime.

C'est dans le garage que Nora inaugura son nouveau moyen de transport.

17

— Est-ce que tu te rends compte qu'il n'y a qu'une pièce de la maison dans laquelle nous n'avons pas fait l'amour ? dit Connor, qui semblait effectuer un rapide calcul mental.

— Nous avons toute la nuit devant nous, répliqua Nora.

Il la serra plus fort contre lui.

— Tu es insatiable.

— Et toi, bien à plaindre !

Ayant enfin quitté le garage, ils venaient d'entrer dans la cuisine, étroitement enlacés, les vêtements à la main.

— Puisque nous parlons de satisfaire l'appétit… commença-t-il.

Elle eut un petit rire étouffé.

— Je m'en serais doutée ! Très bien, Tarzan, que dirais-tu d'une omelette ?

— Ça me paraît divin, mais nous pourrions sortir ? Veux-tu que je réserve une table…

Il s'interrompit en la voyant secouer négativement la tête.

— Je veux cuisiner pour toi. Qu'aimerais-tu dans ton omelette ?

— Surprends-moi. En fait, nous devrions faire de la surprise le thème de cette soirée.

C'était le comble. Pour la première fois, Nora sentit son estomac se contracter.

Il alla prendre une douche après lui avoir apporté la valise qui était restée dans l'allée. Elle l'ouvrit et en sortit un jean et un haut de coton blanc soigneusement pliés.

Soudain, telle une vieille amie, une petite voix résonna dans sa tête.

Allons, Nora, un peu de concentration.

Elle s'habilla et explora le réfrigérateur : un oignon rouge, un poivron vert entier et une tranche épaisse de jambon cru.

Ta décision est prise. Tu as le trac, c'est tout. Ce n'est pas la première fois, tu vas le surmonter.

Sur une plaque magnétique fixée au carrelage s'alignaient les couteaux. Le regard de Nora s'y arrêta, détaillant les lames parfaitement aiguisées qui luisaient doucement. Elle tendit la main vers le plus grand et l'agrippa en ajustant ses doigts à la courbe légère du manche.

Oublie la voiture. Et la bague. Surtout la bague.

Les œufs furent cassés et battus, le poivron vert taillé en lanières fines. Nora coupait le jambon en dés sur une planche posée près de l'évier, le dos tourné à l'entrée de la cuisine lorsqu'elle entendit Connor.

— J'ai tellement faim que je mangerais un restaurant, dit la voix qui se rapprochait.

Vas-y, Nora !

Il avançait vers elle.

Vas-y maintenant !

Elle coupa un autre morceau de jambon et fixa le couteau avec intensité. Les articulations de ses doigts étaient devenues blanches. La lumière qui tombait du plafond jouait sur l'acier.

Il était encore temps de changer d'avis.

Les pas de Connor résonnaient. Elle sentit tout à coup le souffle de son amant sur sa nuque. Il était là, à sa portée. La main levée, elle fit volte-face.

18

— Goûte ! lui intima-t-elle. Et dis-moi s'il est bon.

Il ouvrit la bouche pour qu'elle y dépose le morceau de jambon et mâcha pendant quelques secondes.

— Un délice.

— Tant mieux, parce que je ne savais pas quand tu l'avais acheté. Ta douche a été agréable ?

— Super, mais pas autant que toi.

Nora finit de couper le jambon et entreprit d'émincer l'oignon. Elle pouvait encore changer d'avis. Les cheveux mouillés plaqués en arrière, Connor, uniquement vêtu de son slip, ouvrit le réfrigérateur et attrapa une Amstel.

— Tu en veux une ? demanda-t-il.

— Non merci, j'ai mon eau.

Elle leva une bouteille d'Évian en guise de preuve.

— Tu remarqueras que je surveille ma ligne. Pour toi.

Il ouvrit sa bière et en ingurgita une lampée en regardant Nora de côté.

— Chérie, tu vas bien ?

Elle se retourna vers lui, une larme sur le visage.

— Oh, fit-il en constatant qu'elle pleurait.

Se forçant à sourire, elle essuya sa joue.

— On dirait que les oignons me font pleurer, en fin de compte, dit-elle avant de détourner les yeux.

L'omelette fut servie comme Connor l'aimait : baveuse, le dessous doré mais non brûlé. Elle plaça l'assiette devant lui, sur la table ; il la saupoudra généreusement de sel et de poivre et y plongea sa fourchette.

— Fantastique, déclara-t-il. C'est peut-être ton chef-d'œuvre.

— Je suis contente que tu l'aimes.

Elle s'assit près de lui, l'observant tandis qu'il mangeait avec appétit.

— Alors, que veux-tu faire demain ? s'enquit-il.

— Je n'en sais rien. On pourrait peut-être faire les fous dans ma nouvelle voiture ?

— Tu veux dire, hors du garage ?

Il rit et leva la fourchette en direction de sa bouche. Mais, à mi-chemin, son visage se figea.

Presque aussitôt, il devint blanc comme un linge. Sa tête se mit à dodeliner. La fourchette tomba sur l'assiette avec un bruit retentissant.

— Qu'est-ce que tu as ?

— Je ne...

Les mots sortaient avec peine.

— Je ne sais pas, dit-il en forçant la voix. Tout à coup je me sens vraiment...

Il agrippa son estomac comme s'il venait de recevoir un coup de poignard. Les yeux révulsés, il vacilla sur sa chaise avant de tomber sur le sol avec un bruit terrifiant.

— Connor !

Nora se précipita vers lui et tenta de le soutenir.

— Allons, dit-elle. Essaie de te relever.

Il lutta pour se redresser mais ses jambes le portaient à peine. Elle l'accompagna jusqu'aux toilettes, dans le couloir. Presque inconscient, il s'effondra de nouveau. Alors que Nora soulevait la lunette, il s'efforça de ramper jusqu'à la cuvette.

— Je... je... vais vomir, murmura-t-il, aspirant l'air à grand-peine.

Il commençait à étouffer.

— Je vais te donner quelque chose, s'écria-t-elle, visiblement paniquée. Je reviens tout de suite.

Elle courut vers la cuisine pendant qu'il tentait de soulever la tête au niveau de la cuvette. Son corps entier était devenu un brasier ; la sueur ruisselait par tous ses pores.

La jeune femme revint avec un verre rempli d'un liquide effervescent transparent.

— Bois ça, vite !

Il prit le verre d'une main tremblante mais ne parvint pas à le lever jusqu'à ses lèvres. Elle l'aida à avaler une gorgée, puis une autre.

— Encore un peu, insista-t-elle. Finis-le.

Il prit une dernière gorgée avant d'agripper de nouveau son estomac. Puis il ferma les yeux, les dents serrées, les muscles de la mâchoire si tendus qu'ils paraissaient sur le point d'éclater.

— Aide-moi ! supplia-t-il.

Quelques secondes plus tard, sa prière semblait avoir été entendue. L'horrible tremblement s'apaisa, cessant aussi vite qu'il était apparu.

— Je crois que le médicament fait son effet, mon cœur, dit Nora.

Connor avait retrouvé sa respiration normale et son visage retrouvait ses couleurs. Ouvrant lentement les yeux, d'abord à moitié, puis tout à fait, il laissa échapper un énorme soupir de soulagement.

— Qu'est-ce qui s'est passé ? demanda-t-il.

C'est alors que tout reprit de plus belle. En proie à une suffocation horrible, il fut soulevé de spasmes violents. Le visage bleu et les yeux injectés de sang, il laissa échapper le verre qui s'écrasa en mille morceaux. Secoué par d'énormes convulsions, il se tordait de douleur, les mains sur le cou, cherchant désespérément à respirer.

Il essaya de crier. En vain. Aucun son ne sortit de sa bouche. Il tendit les bras vers Nora. Elle fit un pas en arrière. Bien que n'ayant pas envie de regarder, elle n'arrivait pas à détourner les yeux. Il ne lui restait qu'à attendre la fin des tremblements, qui ne tarda pas à survenir. Pour de bon.

Connor était étendu dans les toilettes de sa demeure de style colonial de plus de mille mètres carrés. Décédé.

19

Pour commencer, Nora ramassa les débris de verre sur le sol de la salle de bains. Ensuite, elle versa le reste de l'omelette dans le broyeur, mit celui-ci en marche et lava soigneusement l'assiette et la fourchette. Enfin, elle se prépara une boisson forte.

Le demi-verre de whisky, sec, disparut en un quart de seconde. Elle s'en versa encore un peu et s'assit à la table de la cuisine. Rassemblant ses pensées, elle répéta ses répliques et expira lentement. Le spectacle allait commencer.

Elle se dirigea calmement vers le téléphone et composa le numéro. Les menteurs les plus doués ne donnent pas de détails. Au bout de deux sonneries, une standardiste décrocha.

— 911, service des urgences.

— Mon Dieu ! hurla Nora. Aidez-moi, je vous en prie, il ne respire plus !

— Qui ne respire plus, madame ?

— Je ne sais pas ce qui s'est passé ! Il mangeait et tout à coup…

— Madame, interrompit la standardiste. Qui ne respire plus ?

Nora renifla bruyamment.

— Mon fiancé.

— Est-ce qu'il étouffe ?

— Non, cria-t-elle. Il commençait à se sentir mal et… et… et il…

Elle s'interrompit. Des phrases inachevées seraient plus convaincantes, sur l'enregistrement.

— Où êtes-vous, madame ? Quelle est votre adresse ? Il me faut une adresse !

Avec un mélange de balbutiements et de pleurs sonores, Nora finit par donner les coordonnées de Briarcliff Manor.

— Très bien, madame, ne bougez pas. Essayez de vous calmer. Une ambulance va arriver.

— Oh, dépêchez-vous, je vous en supplie ! gémit-elle avant de raccrocher.

Elle disposait encore d'environ six ou sept minutes : largement assez pour terminer son nettoyage.

La bouteille de whisky n'avait pas besoin d'être rangée, tout comme le verre dont elle s'était servie. Qui pourrait la blâmer d'avoir avalé un reconstituant dans un moment pareil ? En revanche, le flacon de Zyrtec 10 mg ne devait en aucun cas rester visible.

Elle le rangea au fond de son sac de médicaments qu'elle enfouit sous ses vêtements, dans sa valise. Si une fouille avait lieu, on constaterait simplement qu'elle prenait quelque chose contre les allergies saisonnières. Mais il serait extrêmement malavisé de chercher à lui emprunter un comprimé.

Ayant refermé la valise, elle la transporta dans la chambre à coucher. Là, elle mit la touche finale à sa mise en scène : elle sortit son T-shirt de coton de son pantalon et tira sur le col plusieurs fois pour le détendre, puis se frotta les yeux pour les rougir. En battant plusieurs fois des paupières, elle força quelques larmes à tracer des sillons sur son maquillage.

Cela devait suffire.

Elle était prête pour l'acte suivant.

20

Le troisième acte, celui qui précipite le dénouement. De loin le plus important. Et souvent le plus palpitant.

Lumières clignotantes et hurlements stridents de sirènes emplirent soudain l'allée. Nora jaillit sur le perron, hystérique.

— Dépêchez-vous ! Je vous en supplie, dépêchez-vous ! Vite !

Les internes – deux jeunes gens aux cheveux courts et frisés – attrapèrent aussitôt leurs trousses et se précipitèrent dans l'immense maison. La jeune femme les devança dans les toilettes où la grande silhouette de Connor était étendue sur le sol.

Tout à coup, elle se laissa tomber à genoux, avec des sanglots convulsifs, le visage enfoui dans la poitrine de son amant. L'un des internes dut la tirer dans le couloir pour dégager le passage jusqu'à l'homme inconscient.

— S'il vous plaît, madame. Laissez-nous travailler. Il est peut-être encore vivant.

Pendant les cinq minutes qui suivirent, toutes les techniques de réanimation furent utilisées, en vain. Finalement, les jeunes médecins échangèrent un regard éloquent, admettant silencieusement qu'il n'y avait plus rien à faire.

Le plus âgé tourna la tête vers Nora qui se tenait dans l'embrasure de la porte, apparemment en état de choc. Bien que la situation parlât d'elle-même, il se sentit obligé de dire quelque chose.

— Je suis désolé.

Elle ne manqua pas sa réplique :

— Non ! Non, ce n'est pas possible ! Oh non !

Quelques minutes plus tard, Connor ayant été déclaré mort à son domicile, la police de Briarcliff Manor arriva pour la procédure de routine. Une autre sirène retentit dans l'allée et d'autres lumières tournoyèrent. Quelques voisins s'étaient rassemblés pour venir voir ce qui se passait.

L'agent qui se présenta à elle, Nate Pingry, et son partenaire, Joe Barreiro, étaient chargés d'une mission on ne peut plus simple : effectuer un rapport détaillé des événements et des circonstances qui avaient conduit au décès de Connor Brown. En d'autres termes, veiller au bon déroulement des formalités administratives.

— Je sais à quel point c'est difficile pour vous, madame Brown. Nous allons essayer de faire aussi vite que possible.

La tête dans les mains, Nora était assise sur l'ottomane du salon sur laquelle les médecins avaient pratiquement dû la transporter. Elle leva les yeux vers les policiers.

— Nous n'étions pas mariés, dit-elle d'une voix étouffée.

Elle vit les deux hommes jeter un coup d'œil sur le quatre carats qui ornait sa main gauche.

— Nous venions…

S'interrompant, elle laissa retomber la tête dans ses mains.

— Nous venions de nous fiancer.

Pingry se balança sur ses pieds. Il détestait cet aspect de son travail, qui devait néanmoins être accompli et qui exigeait, entre autres qualités fondamentales, une bonne dose de patience.

Lentement, Nora relata tout ce qui s'était passé. Son arrivée au crépuscule, l'omelette qu'elle avait cuisinée pour Connor, le moment où il avait dit qu'il ne se sentait pas bien. Elle décrivit la façon dont elle l'avait soutenu jusqu'aux toilettes et la torture qu'il avait endurée.

Au cours de son récit, elle s'abandonna à des digressions adroites et corrigea spontanément quelques erreurs. À d'autres moments, elle s'exprima avec beaucoup de clarté. Des ouvrages de psychologie lui avaient appris que les personnes accablées de douleur présentaient une caractéristique majeure : ils oscillaient constamment entre la maîtrise et l'emballement de leurs émotions.

Elle avoua aux policiers que Connor et elle venaient de faire l'amour quand tout était arrivé. En fait, elle veilla à ne pas oublier ce détail. Le médecin légiste ne donnerait pas ses conclusions avant au moins vingt-quatre heures, mais elle savait déjà ce que révélerait l'autopsie : un arrêt cardiaque.

Peut-être le sexe en aurait-il été la cause ? Cette supposition serait avancée. Ainsi que celle du stress dû à son travail. Peut-être même suggérerait-on qu'il avait une faiblesse cardiaque congénitale. En fait, personne ne pourrait jamais établir de certitude.

Tout se passait précisément comme elle le souhaitait.

Lorsque Pingry eut posé sa dernière question, il relut les notes qu'il avait prises. C'était un résumé du récit de Nora, condensant tout ce qu'il avait besoin de savoir. Excepté, bien sûr, les détails sur la façon dont elle avait empoisonné son amant et dont elle l'avait regardé mourir sur le sol des toilettes.

— Je pense que nous avons tout ce qui nous est nécessaire, dit Pingry. Si vous n'y voyez pas d'inconvénient, nous allons de nouveau inspecter la maison.

— Bien sûr, répondit-elle doucement. Faites tout ce que vous avez à faire.

Les deux policiers sortirent de la pièce. Nora resta sur l'ottomane qu'elle avait achetée un peu plus de sept mille dollars pour Connor. Au bout d'une minute, elle se leva. Pingry et son partenaire semblaient sincèrement compatissants, mais le moment de vérité n'était pas encore arrivé.

Que pensaient-ils en réalité ?

À pas furtifs, la jeune femme suivit les policiers qui visitaient toutes les pièces. D'assez près pour entendre ce qu'ils disaient ; d'assez loin pour ne pas être remarquée.

Au premier étage, elle ne fut pas déçue. Les deux hommes se trouvaient dans la salle vidéo de Connor. Ils discutaient des premières scènes de son petit numéro.

— Merde, tu as vu ce matériel ? dit Pingry. La télé à elle seule vaut plus que mon salaire !

— Cette fille allait épouser une fortune, renchérit Barreiro.

— C'est sûr. Pour elle, c'est la grosse tuile.

— Tu te rends compte ! Juste au moment de conclure !

— C'est vraiment pas de pot.

Elle redescendit discrètement l'escalier. En la regardant, on n'aurait vu que ses yeux rouges et son aspect défait, mais elle éprouvait en réalité un immense soulagement.

Superbe, Nora ! Tu es plutôt douée !

La police ne se doutait de rien. Elle avait commis un crime parfait. Une fois de plus.

21

Les allées et venues d'étrangers à la mine solennelle, la cacophonie et le vacarme qui en découlaient, tout cela dura près de deux heures. Deux heures dont Nora ne cessa de savourer l'ironie : la vie ne commence vraiment à s'animer que lorsque quelqu'un meurt brutalement.

Enfin, ce fut terminé. Les médecins, la police municipale et le fourgon mortuaire disparurent, la laissant seule dans la maison. Il était temps de se mettre au travail. Jamais la police n'apprendrait ce qu'elle avait vraiment besoin de savoir.

Le bureau se trouvait à l'extrémité du bâtiment, pratiquement dans une aile séparée. Lorsqu'ils s'étaient rencontrés, Connor avait demandé à Nora de le lui décorer comme un club anglais : canapés de cuir matelassé, étagères de merisier et peintures à l'huile représentant des scènes de chasse. Dans un coin se dressait une armure médiévale complète ; dans un autre, une vitrine exposant une collection de tabatières. Des merdes hors de prix, elle était bien placée pour le savoir.

Elle avait risqué une plaisanterie lorsque l'installation avait été terminée :

— Cette pièce est si masculine qu'il serait redondant d'y fumer le cigare !

S'installant devant l'ordinateur, elle l'alluma. Il était doté d'un triple écran qui permettait au financier de suivre plusieurs marchés à la fois ; l'ensemble donnait l'impression qu'il pouvait déclencher une attaque de missiles, ou au moins faire atterrir des avions gros porteurs.

Nora tapa d'abord le code d'accès à la connexion Internet, puis celui permettant d'entrer dans le réseau virtuel privé, ce qui signifiait bénéficier du passage le plus sécurisé entre deux points du cyberespace.

Le premier, l'ordinateur de Connor.

Le deuxième, le Banque Internationale de Zurich.

Il lui avait fallu quatre mois pour trouver le code du réseau. Elle aurait pu l'obtenir en quatre minutes, mais elle n'avait pas imaginé que son amant aurait la candeur de l'inscrire dans son Palm Pilot. Sous la lettre C, dans la rubrique « Numéros de comptes », tout bonnement.

Il n'était quand même pas allé jusqu'à indiquer à quel compte se rapportait chaque numéro. Elle avait donc consacré à cette recherche quelques séances nocturnes, pendant qu'il dormait paisiblement dans son lit.

La difficulté de se connecter au compte suisse de Connor, ainsi que les richesses et les privilèges liés à la possession d'un compte comme celui-là, rendaient encore plus étonnante la page de transaction simple, voire simpliste, proposée par la Banque Internationale de Zurich. Pas de graphie sophistiquée ni de musique de fond signée Honegger.

Trois options s'offraient sur l'écran : dépôt, retrait, et transfert.

Nora cliqua sur « Transfert ». Une autre page, tout aussi simple, remplaça aussitôt la première. Elle comportait le solde des comptes de Connor ainsi qu'un encadré dans lequel il fallait indiquer le montant à transférer. Elle s'exécuta.

La somme disponible se montait à 4,3 millions de dollars. Elle avait décidé de se contenter de 4,2 millions, sans un centime de plus

Maintenant, il suffisait d'acheminer l'argent vers sa destination.

Au sein de leur couple, Connor n'était pas le seul à avoir un réseau virtuel privé. Nora tapa le code d'accès de son nouveau compte des îles Caïmans qui allait, grâce à Steven Keppler, bénéficier d'un baptême de grande classe.

Elle tapa sur le bouton Entrée et s'adossa dans le fauteuil. Sur l'écran, une barre indiquait la progression de la transaction. Posant les pieds sur le bureau, elle la regarda s'allonger.

Quelques minutes plus tard, c'était officiel : Nora Sinclair était riche de 4,2 millions de dollars supplémentaires.

Son second règlement de compte de la journée.

22

Le lendemain matin, dès son réveil, elle descendit l'escalier d'un pas traînant pour aller préparer du café. Elle ne se sentait pas trop mal. À dire vrai, elle n'éprouvait jamais grand-chose.

Après avoir avalé la première tasse, elle réfléchit à son programme de la journée et aux choses importantes qu'elle devait faire. Il lui fallait prévenir quelques personnes de la mort de Connor, et passer un coup de fil à Jeffrey, qu'elle ne pouvait laisser plus longtemps sans nouvelles.

Son premier appel fut pour Mark Tillingham, l'un des meilleurs amis de son amant, également exécuteur testamentaire de ce dernier. Lorsqu'il décrocha, il partait jouer au tennis, comme tous les samedis matin. L'imaginant vêtu de blanc, pétrifié par ce qu'elle venait de lui annoncer, elle se sentit presque jalouse de l'émotion qu'il manifestait.

Ensuite, la proche famille. La liste des personnes à prévenir n'aurait pu être plus courte ; Connor ayant perdu ses parents, il ne lui restait qu'une unique sœur plus jeune que lui, Elizabeth, qu'il surnommait parfois « Lizzie » ou « Lézard ».

Tous deux avaient toujours été très proches, sauf sur le plan géographique. Lizzie vivait à Santa Barbara, à près de cinq mille kilomètres de là, et elle y menait avec succès une carrière d'architecte. Son dernier voyage sur la côte Est, déplacement auquel elle ne se prêtait que rarement, avait eu lieu peu avant que son frère ne rencontre sa nouvelle fiancée.

Nora se versa une autre tasse de café et s'interrogea sur la façon la plus acceptable d'annoncer à une femme qu'elle n'avait jamais rencontrée et, *a fortiori*, à qui elle n'avait jamais parlé, que son frère venait de mourir à quarante ans.

Elle savait qu'elle n'était pas obligée de le faire : Mark Tillingham aurait parfaitement pu s'en charger. Mais elle savait aussi que l'aimante future épouse de Connor n'aurait laissé personne d'autre appeler à sa place. Aussi composa-t-elle le numéro après avoir consulté le Palm Pilot.

— Allô ? répondit une voix de femme assoupie, voire un tantinet agacée.

Il était tout juste 7 heures en Californie.

— Êtes-vous Elizabeth ?

— Oui.

— Mon nom est Nora Sinclair…

Bizarrement, Lizzie ne pleura pas, en tout cas pas pendant le début de la communication. Il n'y eut qu'un silence stupéfait, suivi de questions posées à voix basse.

Nora répéta ce qu'elle avait dit à la police, mot pour mot.

— Mais nous ne saurons rien avec certitude tant que l'autopsie n'aura pas eu lieu, souligna-t-elle.

De nouveau, un douloureux silence accueillit ses paroles. La sœur de Connor se sentait-elle coupable de ne pas l'avoir vu depuis longtemps ? Ou le fait de savoir qu'elle était le dernier membre vivant de sa famille la désolait-il ? Se trouvait-elle, comme Mark Tillingham, en état de choc ?

— Je prends l'avion demain matin, dit-elle enfin. Avez-vous prévu quelque chose pour les obsèques ?

— Je voulais vous parler d'abord. Je pensais…

Elizabeth fondit en larmes.

— J'espère que vous ne me trouverez pas monstrueuse, mais c'est la dernière chose… Je ne crois pas que je pourrais… Est-ce que cela vous ennuierait de vous en occuper ?

— Bien sûr que non.

Alors qu'elle s'apprêtait à prendre congé, Lizzie ravala ses sanglots et demanda :

— Depuis combien de temps étiez-vous fiancée à Connor ?

Son interlocutrice, sur le point de pleurer avec ostentation, se ravisa.

— Une semaine, répondit-elle sobrement.

— Je suis désolée. Si vous saviez comme je suis désolée !

Après avoir raccroché, Nora consacra l'après-midi à l'organisation des funérailles, en grande partie par téléphone. Toutefois, un certain nombre de décisions ne pouvaient être prises que de visu : la sélection d'une entreprise de pompes funèbres, par exemple.

Lorsqu'elle l'eut désignée, elle fit appel à ses talents de décoratrice pour choisir le cercueil. À la seconde où le croque-mort le lui montra, elle sut que ce serait celui-là : un somptueux placage de ronce de noyer et des poignées d'ivoire sculpté. Tout à fait digne de Connor.

— Adjugé ! s'exclama-t-elle.

23

— Nora, je sais que le moment est vraiment mal choisi, commença Mark Tillingham. Mais je dois absolument vous parler. Le plus tôt serait le mieux.

Le service funèbre allait commencer dans quelques minutes. Très élégante dans son tailleur noir, Nora fixa l'ami de son amant à travers ses lunettes de soleil Chanel. Tous deux se tenaient sous un buisson de houx au bord de l'allée de gravier.

— C'est à propos d'Elizabeth. Vous vous doutez qu'elle est complètement bouleversée : elle était si proche de lui. Elle s'inquiète un peu en ce qui concerne vos intentions.

— Mes intentions ?

— Au sujet de la succession.

— Que vous a-t-elle dit ? Non, laissez-moi deviner. Elle craint que je conteste le testament.

— Disons que c'est de l'ordre de l'appréhension. L'État ne reconnaît pas de droit légal aux fiancées, mais cela n'en a pas empêché certaines de…

Nora secoua la tête.

— Je ne contesterai rien, Mark. Mon Dieu ! Cette fortune ne m'intéresse pas ! C'était Connor que j'aimais. Je tiens à ce que les choses soient claires : elle ne m'intéresse pas ! Vous pouvez le dire à Lizzie.

Le visage de Mark trahissait un énorme embarras.

— Bien sûr, dit-il. Excusez-moi, vraiment, d'avoir dû vous importuner.

— Voilà donc pourquoi elle m'évite…

— Non, je pense qu'elle est terrassée par le chagrin. Son frère et elle étaient inséparables pendant leur enfance. Leurs parents sont morts quand ils étaient très jeunes.

— Par simple curiosité, puis-je vous demander ce que Connor lui laisse ?

Mark fixa les yeux sur ses mocassins ornés d'un gland.

— Je ne suis pas censé révéler ce genre d'information, Nora.

— Vous êtes également censé ne pas perturber la femme qu'il aimait juste avant le service funèbre.

Le sentiment de culpabilité de l'exécuteur testamentaire fut plus fort que sa conscience professionnelle.

— En gros, Elizabeth reçoit les deux tiers de la fortune, y compris la maison. Je vous l'ai dit, ils étaient très proches.

— Et le reste ?

— Deux cousins de San Diego touchent une grosse somme. Le solde va à des œuvres caritatives.

— C'est bien, déclara Nora en se radoucissant.

— Certes, répondit Mark. Connor était très généreux. Bon sang, il était vraiment bourré de qualités !

Nora opina du chef.

— Il était merveilleux, Mark. N'est-il pas temps de commencer la cérémonie ?

24

Ce fut un beau service, très triste et infiniment touchant. L'église, qui se dressait dans un cadre particulièrement harmonieux et bien entretenu, était un endroit parfait.

C'est en tout cas ce que chacun dit à Nora. En l'absence de condoléances traditionnelles, nombre de gens venus assister aux funérailles vinrent la saluer : quelques amis et associés de Connor qu'elle connaissait déjà et d'autres relations du disparu, dont elle avait entendu parler, qui se présentèrent et balbutièrent quelques formules de sympathie.

Tout au long de la cérémonie, dans l'église comme au cimetière, Elizabeth Brown se tint à l'écart. Nora n'en fut pas vraiment contrariée. Ne devenait-il pas ainsi évident que la dernière personne à vouloir la mort de Connor était celle qui serait devenue millionnaire en l'épousant ?

Après le retour à la maison, où était servie une collation, la sœur de son fiancé se dirigea finalement vers elle.

— Je remarque que vous ne buvez pas, même un jour comme celui-ci, dit-elle.

Nora avait à la main un verre d'eau gazeuse.

— Oh si, il m'arrive de boire, mais aujourd'hui je m'en tiens à l'eau.

— Nous n'avons pas eu beaucoup d'occasions de parler, n'est-ce pas ? Je veux en tout cas vous remercier de vous être occupée de tout. Je ne crois pas que j'aurais pu le faire.

Des larmes jaillirent au bord de ses paupières.

— Je vous en prie. C'est tout à fait normal, j'étais sur place. Enfin, pas exactement ici, mais…

— Je sais. Je voulais justement vous parler de cela.

L'un des associés de Connor passant près d'elles, elle s'interrompit pour ne pas être entendue.

— Venez, suggéra Nora. Sortons un instant.

Elle conduisit son interlocutrice sur le vaste perron. La minute d'honnêteté était-elle arrivée ?

— Voilà, reprit Elizabeth. J'ai discuté avec Mark Tillingham. Il semble que Connor m'ait légué sa maison.

La réaction de Nora fut magistrale.

— Vraiment ? Oh, je suis heureuse qu'elle reste dans la famille, surtout entre vos mains, Lizzie.

— Merci beaucoup. Mais je n'ai l'intention ni de venir dans la région ni de m'y installer.

Les joues couvertes de pleurs, elle se tut et baissa la tête, incapable de terminer sa phrase.

— Je ne le pourrais pas, conclut-elle.

— Je comprends. Vous envisagez de vendre la propriété ?

— Sans doute, mais je ne suis pas pressée. Je voulais justement vous parler de cela. Premièrement, je veux que vous vous sentiez libre d'utiliser cette demeure aussi longtemps que vous le désirez. Connor aurait voulu qu'il en soit ainsi.

— Quelle gentillesse de votre part ! s'écria Nora. Vraiment, ce n'est pas nécessaire... Je ne sais que dire...

— J'ai demandé à Mark de régler toutes les dépenses et d'assurer l'entretien ; c'est le moins que nous puissions faire. Et je veux que vous gardiez tous les meubles, car ce sont eux qui vous ont réunis.

Nora sourit. Le sentiment de culpabilité de Lizzie dégoulinait de chacune de ses paroles. Elle avait pensé que la fiancée de son frère allait se battre pour avoir sa part ; sa générosité était une façon de faire amende honorable, maintenant qu'elle était convaincue du contraire. Elle ne se trompait d'ailleurs qu'à moitié : la fiancée avait déjà eu sa part.

Toutes deux continuèrent à parler jusqu'à ce qu'Elizabeth regarde sa montre. Son avion pour la Californie décollait dans moins de trois heures.

— Il faut que j'y aille. C'est le jour le plus triste de ma vie, Nora.

La jeune femme acquiesça.

— Le mien aussi. Je vous en prie, donnez-moi de vos nouvelles.

La sœur de Connor alla jusqu'à l'étreindre pour lui dire au revoir, avant de se diriger vers la voiture de location qui l'attendait dans l'allée. Nora l'observa, bien droite, les mains sagement croisées au niveau de la taille. En dépit de cette attitude solennelle, son cœur battait à tout rompre. Elle avait mené son projet à bien ! Le meurtre et l'argent.

Pivotant sur ses talons, elle s'apprêtait à rentrer dans la maison mais s'immobilisa au bout de deux pas. Elle croyait avoir entendu quelque chose. Un bruit en provenance de la haie et des bosquets d'épineux. Un cliquetis.

Tournant les yeux vers la limite de la propriété, elle écouta attentivement… Rien. Un oiseau, sans doute.

Alors qu'elle pénétrait dans le bâtiment, l'appareil photographique se déclencha de nouveau au milieu des rhododendrons. Clic. Clic. Clic.

Nora Sinclair n'était pas la seule à caresser de grands projets.

II
L'AGENT D'ASSURANCES

25

« Il ne faut pas se fier aux apparences, mon garçon. »

Mon père adorait me dire ça quand j'étais enfant. Bien sûr, il adorait aussi me dire de sortir la poubelle, de ramasser les feuilles mortes, de dégager la neige de l'allée et de me tenir bien droit. Mais rien de ce qu'il m'avait enseigné ne m'avait fait une impression aussi forte que ce petit conseil ; si simple et pourtant, comme les années me l'avaient enseigné, si judicieux.

J'étais assis dans mon tout nouveau bureau, un placard à balais tellement exigu que Houdini lui-même s'en serait plaint. Sur mon ordinateur s'alignaient les photos que j'avais prises avec mon appareil numérique. Nora Sinclair sur son trente et un ; à l'église ; au cimetière ; de retour dans la modeste chaumière de Connor. Sur les derniers clichés, elle s'entretenait avec la sœur du pauvre type, Elizabeth, une grande blonde à l'allure de surfeuse californienne. Nora, brune et un peu plus petite, paraissait encore plus belle. Toutes deux, même dans leurs vêtements de deuil, étaient époustouflantes. Elles pleuraient, puis s'étreignaient.

Que cherchais-je exactement ? Je n'en savais rien, mais plus je regardais ces photos, plus les mots de mon père résonnaient dans mon esprit. Il ne faut pas se fier aux apparences.

J'attrapai le téléphone et appelai la chef sur la ligne directe. Deux sonneries plus tard…

— Susan, annonça-t-elle sans tarder.

Ni « Allô » ni nom de famille. Juste Susan.

— C'est moi. Salut. J'ai besoin d'une oreille attentive, dis-je. Que penses-tu de ma voix ?

— J'ai l'impression que tu cherches à me vendre une assurance.

— Pas trop sûr de moi ?

— Tu veux dire pas trop arrogant ? Non.

— Bon.

— Dis encore quelque chose pour voir ?

Je réfléchis une seconde.

— D'accord. Voilà un gars qui meurt et va au paradis, racontai-je d'une voix qui paraissait à mes oreilles on ne peut plus onctueuse. Arrête-moi si tu connais déjà l'histoire.

— Je connais déjà l'histoire.

— Non. Crois-moi, tu vas rire.

— Après tout, il ne faut jamais perdre espoir.

Là, il faut peut-être que je précise, si ce n'est pas encore évident, que la chef et moi nous nous entendons bien. Certains hommes se retrouvant sous l'autorité d'une femme en font une vraie maladie. Quand Susan a pris la tête de son département, quatre ou cinq des gars lui ont donné pas mal de fil à retordre dès son arrivée. C'est pourquoi elle les a virés dès le lendemain. Je suis sérieux. Susan est comme ça.

— Bon, alors ce type arrive aux portes du Paradis et voit deux panneaux. Sur le premier, il lit « Hommes soumis à leurs épouses ». Devant, s'étire une queue qui fait quinze kilomètres de long.

— Évidemment !

— Pas de commentaires, s'il te plaît. Le second panneau affiche « Hommes non soumis à leurs épouses », et il n'y a qu'un seul individu devant. Lentement, le type se dirige vers lui. « Pourquoi êtes-vous ici ? » lui demande-t-il. Le gars le regarde et répond : « J'en sais rien, c'est ma femme qui m'a dit d'attendre là. »

Mon ouïe fine perçut un rire léger à l'autre bout du téléphone.

— Qu'est-ce que je t'avais dit ? Prochaine étape : homme de lettres.

— Amusant, admit Susan. Mais si j'étais toi, je ne laisserais pas encore tomber mon gagne-pain.

Je m'esclaffai.

— Très drôle ! Surtout que ce n'est pas supposé être mon gagne-pain.

— Il me semble percevoir un soupçon de nervosité dans ta voix...

— C'est plutôt de l'appréhension.

— Pourquoi ? Tu fais ça les doigts dans le nez. Tu as un...

Susan suspendit sa phrase.

— Oh, j'y suis ! C'est parce que c'est une femme, n'est-ce pas ? reprit-elle.

— Tu sais, ce n'est pas tout à fait la même chose...

— Ne t'inquiète pas, ça ira. Quelle que soit la personnalité de cette Nora Sinclair, tu es celui qu'il faut. Alors, quand les présentations ont-elles lieu ?

— Demain.

— Bien. Excellent. Tiens-moi au courant.

— Sûr, dis-je. Au fait, Susan ?

— Ouais ?

— J'apprécie cette marque de confiance.

— Mes oreilles me jouent des tours !

— Quoi ?

— L'humilité ne fait pas partie de tes habitudes.

— J'essaie. Dieu sait pourtant que j'essaye.

— Je sais. Bon courage.

26

Le centre psychiatrique de Pine Woods, institution gérée par l'État de New York, se trouvait à Lafayetteville, à une heure et demie environ au nord de Westchester. À moins, bien sûr, d'être une Nora dans son nouveau cabriolet. Glissant à cent trente kilomètres à l'heure le long de l'autoroute bordée d'arbres, elle arriva à destination en trois quarts d'heure.

Dès qu'elle eut trouvé une place de parking, elle remonta la capote par simple pression d'un bouton. Classe. Un coup d'œil dans le petit miroir du pare-soleil pour rajuster sa coiffure : aucune retouche de maquillage n'était nécessaire. De toute façon, elle n'en portait presque pas. Soudain, sans savoir pourquoi, elle pensa à la sœur de Connor. Quelque chose la tracassait chez cette blonde réfrigérante, comme si les choses n'étaient pas terminées entre elles.

Éloignant cette préoccupation de son esprit, elle descendit de la voiture qu'elle verrouilla. Ça valait mieux, même ici, en pleine brousse. Vêtue d'un jean et d'un chemisier blanc tout simple, elle avait coincé sous son bras un sac provenant d'une librairie. Alors qu'elle se dirigeait vers l'entrée du bâtiment principal de brique rouge, elle ne croisa pas une âme.

Elle connaissait par cœur le déroulement de la visite mensuelle qu'elle effectuait depuis quatorze ans : tout d'abord, elle montrait sa carte d'identité, signait un document et prenait un badge. Ensuite, elle se dirigeait vers les ascenseurs, à gauche du comptoir. L'un d'eux attendait, portes ouvertes.

Pendant la première année, elle avait poussé le bouton du premier étage. Au bout de douze mois, sa mère avait été transportée à un niveau supérieur. Bien que personne ne le lui ait jamais affirmé, Nora savait que plus le patient grimpait, moins il avait de chances de sortir un jour de l'établissement.

Elle entra dans l'ascenseur et appuya sur le 7. Le bouton du dernier étage.

27

Pour Emily Barrows, surveillante du service, c'était un mauvais jour : le système informatique était en panne ; la machine à photocopier n'avait plus de toner ; elle avait très mal au dos ; une migraine lui vrillait la tête et quelqu'un du service de nuit avait renversé du café sur le registre de pharmacie. Et il n'était pas encore midi.

De plus, pour la centième fois au moins, sans exagérer, elle devait mettre au courant une nouvelle infirmière. Du genre qui sourit trop, celle-ci était prénommée Patsy[1], ce qui était déjà, en soi, tout un programme.

Elles étaient assises derrière le bureau d'étage. L'un des ascenseurs, situé juste en face, s'ouvrit. L'infirmière en chef, qui contemplait avec morosité la page maculée d'arabica, leva les yeux et vit un visage familier s'avancer vers elle.

— Bonjour, Emily.
— Bonjour, Nora.
— Comment va-t-elle ?
— Tout va bien.

Les propos pratiquement identiques qu'elles échangeaient chaque mois se terminaient toujours de la même façon. L'état de la mère de Nora restait stationnaire.

La surveillante jeta un coup d'œil à sa collègue. Celle-ci, un sourire insipide sur le visage, ne perdait pas une miette de la conversation.

---

1. Patsy : le nom commun désigne quelqu'un qui se fait avoir, un « pigeon ». *(N.d.T.)*

— Patsy, voici Nora Sinclair. Sa maman est Olivia, de la 709.

— Oh ! s'écria la jeune fille avec une légère hésitation.

Maladresse de novice. Nora fit un salut de la tête.

— Enchantée, mademoiselle.

Elle souhaita bonne chance à l'infirmière avant d'emprunter le long couloir.

— Olivia Sinclair… c'est celle qui a tué son mari d'une balle, non ? demanda aussitôt Patsy avec excitation.

Le chuchotement d'Emily fut plus mesuré.

— C'est ce qu'a décidé le jury. Il y a très longtemps.

— Vous ne pensez pas qu'elle l'ait fait ?

— Oh, elle l'a fait, sans aucun doute.

— Je ne comprends pas. Comment a-t-elle atterri ici ?

La surveillante vérifia que Nora se trouvait hors de portée de voix.

— D'après ce qu'on m'a dit… ça remonte à loin, je le répète… Olivia a bien supporté ses première années de prison. Une prisonnière modèle. Puis, tout à coup, elle a pété les plombs.

— Comment ça ?

— Elle a presque perdu tout contact avec la réalité. Elle s'est mise à baragouiner et à ne plus vouloir manger que des aliments dont le nom commençait par la lettre B.

— La lettre B ?

— Ç'aurait pu être pire. Elle aurait pu choisir X ! Avec B, elle avait au moins du beurre, des bananes, des betteraves…

Sa collègue réagit comme une candidate à un jeu télévisé.

— Des brocolis ! lança-t-elle.

La surveillante cligna des paupières.

— Euh… oui. Finalement, elle a fait une tentative de suicide. C'est pour cela qu'elle a été transportée ici.

Elle réfléchit une seconde.

— Ou peut-être a-t-elle fait sa tentative de suicide avant de perdre la boule ? En tout cas, je sais que, vingt ans plus tard, elle ne sait même pas quel est son propre nom.

— Quelle horreur ! s'exclama Patsy qui, au grand étonnement d'Emily, réussit à prendre un air consterné sans abandonner son sourire. Qu'est-il arrivé, à votre avis ?

— Aucune idée. C'est comme un mélange d'autisme et d'Alzheimer. Elle parle un peu et arrive à faire certaines choses, mais ça n'a aucun sens. Par exemple, vous avez vu le sac sous le bras de sa fille ?

L'infirmière fit un signe de dénégation.

— Chaque mois, Nora lui apporte un nouveau roman. Mais, quand elle lit, elle tient le livre à l'envers.

— Nora le sait ?

— Oui, malheureusement.

Patsy soupira.

— Au moins, il est important qu'elle vienne voir sa mère.

— Sans aucun doute. À un détail près, dit Emily. Sa mère ne la reconnaît pas.

28

— Bonjour, maman. C'est moi.

Nora traversa la petite chambre et prit la main de sa mère, qu'elle serra sans obtenir de réaction. Elle n'en attendait pas. Au cours de ses visites, elle s'était habituée à ne rien ressentir.

Étendue sur les couvertures de son lit, le torse relevé par deux oreillers peu épais, Olivia Sinclair avait le regard vitreux et le corps fané. À cinquante-sept ans, elle en paraissait quatre-vingts.

— Est-ce que tu vas bien depuis la dernière fois ? demanda la jeune femme en regardant le visage émacié se tourner lentement vers elle. C'est moi, Nora.

— Vous êtes très jolie.

— Merci. Je suis allée chez le coiffeur. Pour des obsèques, figure-toi.

— J'aime bien lire, vous savez, déclara Olivia.

— Oui, je sais.

Nora ouvrit le sac et en sortit le dernier roman de John Grisham.

— Tu vois, je t'ai apporté un livre.

Tendant le volume à sa mère, elle vit que celle-ci ne le prenait pas. Elle le posa donc sur la table de nuit et s'assit sur une chaise près du lit.

— Est-ce que tu manges bien ?

— Oui.

— Qu'est-ce que tu as pris pour ton petit déjeuner ?

— Des œufs et du pain grillé.

Nora se força à sourire. Ces moments de conversation avec sa mère se révélaient particulièrement douloureux ; elle savait bien que c'était un simulacre. Obéissant à une pulsion auto-destructrice, elle ressentit le besoin de mettre la malade à l'épreuve, juste pour être sûre.

— Est-ce que tu sais qui est le Président ?

— Évidemment que je le sais ; c'est Jimmy Carter.

Il ne servait à rien de la désabuser. Nora lui parla de son travail, décrivant quelques-unes des maisons qu'elle avait décorées, puis donna des nouvelles de ses amies de Manhattan. Elaine travaillait trop dur dans son cabinet d'avocats ; Alison restait un baromètre de la mode.

— Elles sont vraiment très proches de moi, maman.

— Toc, toc, fit une voix.

La porte s'ouvrit, livrant passage à Emily qui portait un plateau.

— C'est l'heure de votre médicament.

La surveillante se déplaçait avec une précision de robot. Elle prit un pichet sur la table de nuit et versa de l'eau dans un verre.

— Allez-y, Olivia.

Sans protester, la mère de Nora mit le comprimé dans sa bouche et l'avala avec une gorgée de liquide.

— Oh, c'est le dernier qu'il a écrit ? s'exclama l'infirmière en voyant le roman sur la table.

— Il vient juste de sortir.

Sa mère sourit.

— J'aime bien lire, vous savez.

— Bien sûr ! dit Emily.

Olivia prit le livre à l'envers, l'ouvrit au hasard et fit mine de lire. La surveillante se tourna alors vers Nora, si ravissante et toujours si courageuse.

— Au fait, dit-elle, la chorale du lycée local est en train de chanter dans la cafétéria. Nous y emmenons tout le monde. Vous êtes tout à fait bienvenue, si vous voulez nous accompagner.

— Non merci, j'étais sur le point de partir. Je suis très occupée en ce moment.

Tandis qu'Emily sortait, elle se leva, se dirigea vers sa mère et posa un baiser léger sur son front.

— Je t'aime, murmura-t-elle. Je voudrais tant que tu le saches !

Olivia Sinclair ne réagit pas ; elle se contenta de suivre sa fille des yeux. Quelques instants plus tard, elle retira la couverture du livre relié et la retourna. Elle reprit l'ouvrage à l'endroit et se mit à lire.

29

Je venais de nettoyer les lentilles de mon appareil numérique pour la troisième fois en vingt minutes.

Entre-temps, j'avais compté le nombre de points maintenant la housse de cuir de mon volant – trois cent douze –, rectifié la position de mon siège – un peu plus en avant, dossier redressé – et mémorisé une fois pour toutes la pression des pneus optimale de ma BMW – 2 à l'avant, 2,2 à l'arrière, affirmait le manuel rangé dans la boîte à gants. L'ennui avait pris possession des lieux.

J'aurais peut-être dû l'appeler avant. Non, me répétai-je, le premier contact devait se faire en personne, face à face. Au risque de laisser mon postérieur s'engourdir.

Si j'avais su que ça se transformerait en planque, j'aurais apporté des provisions : viennoiseries, gâteaux secs…

Où était-elle ?

Dix minutes plus tard, une Mercedes décapotable rouge vif tourna dans l'allée circulaire de feu Connor Brown et s'arrêta devant la maison. Elle en descendit.

Nora Sinclair. Je ne pus que siffler intérieurement.

Elle se pencha et saisit un sac de provisions sur ce qui faisait office de siège arrière. À peine commença-t-elle à faire cliqueter son trousseau de clefs que j'étais déjà au milieu de la pelouse. Je la hélai.

— S'il vous plaît !… Hé, s'il vous plaît !

Elle se retourna. Son costume de deuil avait cédé la place à un jean et à un chemisier blanc fermé jusqu'au cou. Les lunettes de soleil étaient toujours les mêmes et sa chevelure châtain, épaisse, brillante, resplendissait. Une fois de plus, je sifflai intérieurement.

Arrivé devant elle, je m'appliquai à ne pas forcer le personnage.

— Excusez-moi. Êtes-vous Nora Sinclair ?

Lunettes de soleil ou pas, elle me jaugeait.

— Je dirais que ça dépend. Qui êtes-vous ?

— Oh, je suis désolé ! J'aurais dû me présenter. Craig Reynolds.

Nora fit passer son sac sur son autre bras et serra la main que je lui tendais.

— Bonjour, dit-elle, toujours sur ses gardes. Vous êtes Craig Reynolds et…

Je mis la main dans la poche intérieure de ma veste et en sortis ma carte professionnelle.

— Je fais partie de Centennial One Life Insurance, expliquai-je en la lui tendant. Je suis désolé pour la perte que vous venez de subir.

Elle se radoucit un brin.

— Merci.

— Alors vous êtes bien Nora Sinclair ?

— Tout à fait.

— Je présume que vous étiez très proche de M. Brown ?

C'en était fait du radoucissement ; elle se ferma de nouveau.

— Oui, nous étions fiancés. Pourriez-vous en venir au fait ?

C'était mon tour de faire preuve de confusion.

— Vous n'êtes pas du tout au courant ? Vraiment ?

— Au courant de quoi ?

Je restai silencieux un instant.

— De la police d'assurance de M. Brown ? 1,9 million de dollars pour être plus précis.

Elle me fixait sans comprendre ; je n'en attendais pas moins.

— Alors je suppose, madame Sinclair, que vous ignorez également être l'unique bénéficiaire de cette police ?

30

Nora savait remarquablement garder son sang-froid.

— Pouvez-vous me répéter votre nom ? demanda-t-elle.

— Craig Reynolds... Il est inscrit sur cette carte. Je dirige l'agence locale de Centennial One.

Alors que Nora passait avec souplesse d'un pied sur l'autre pour mieux examiner le bout de carton, ses provisions commencèrent à glisser. Je m'élançai et agrippai le sac avant qu'il ne s'écrase sur le sol.

— Merci, dit-elle en tendant les mains pour le récupérer. Il y aurait eu des dégâts.

— Si vous voulez, je vous le porte. Il faut que je vous parle, de toute façon.

Je savais à quoi elle pensait. Un gars qu'elle n'avait jamais vu auparavant demandait à entrer chez elle. Un étranger qui lui offrait un bonbon. Un fameux bonbon, cela dit. Elle étudia de nouveau ma carte.

— Ne vous inquiétez pas, je ne fais que là où on me dit de faire, déclarai-je pour la dérider.

Un léger sourire se dessina sur son visage.

— Je suis désolée, je n'avais pas l'intention de me montrer trop méfiante. Je viens de vivre...

— ... des moments très pénibles, indéniablement. Vous n'avez pas besoin de vous excuser. Si vous préférez, nous parlerons de tout cela à une date ultérieure. Vous pourriez passer à mon bureau...

— Non, ça ira. Entrez, je vous prie.

Nora se dirigea vers la maison. Je la suivis. Pour l'instant tout se passait comme sur des roulettes. Je me demandai si elle était bonne danseuse ? Elle savait marcher, en tout cas.

— Vanille-noisette, dis-je.

— Pardon ?

Je désignai le paquet de café moulu qui dépassait du sac à provisions.

— Remarquez, je suis récemment tombé sur des grains à saveur crème brûlée qui avaient tout à fait la même odeur.

— Non, c'est vanille-noisette. Vous m'épatez.

— J'aurais préféré avoir le lancer d'un champion de base-ball. À la place, je suis né avec un odorat très développé.

— C'est mieux que rien.

— Ah, vous êtes une optimiste !

— Pas en ce moment.

Je me frappai le front.

— Quel idiot ! Je devrais réfléchir avant de parler.

— Ce n'est rien, dit-elle en souriant presque.

Nous gravîmes les marches du perron et entrâmes dans la demeure. Le vestibule était plus vaste que mon appartement et le chandelier au-dessus de nos têtes valait au moins une année de mon salaire. Tapis orientaux, vases chinois... Quelle opulence !

— La cuisine est par là, indiqua-t-elle en me précédant.

Lorsque nous pénétrâmes dans la pièce, je vis qu'elle aussi était plus grande que mon appartement. Nora désigna le comptoir de granit, près du réfrigérateur.

— Mettez-le là. Merci.

Je posai le sac avec précaution et entrepris de sortir les provisions.

— Vous n'avez pas besoin de faire ça.

— Je dois me faire pardonner cette gaffe imbécile.

— Ce n'est rien, je vous assure !

Elle vint vers moi et prit le paquet de vanille-noisette.

— Puis-je vous en offrir une tasse ?

— Absolument !

Pendant que le café passait, je veillai à maintenir la conversation au niveau du papotage. Je ne voulais pas aller trop vite, pour éviter les questions embarrassantes. Une ou deux d'entre elles se préparaient déjà.

— Vous savez ce que je ne comprends pas ? fit-elle quelques minutes plus tard.

Nous étions assis devant la table de la cuisine, une tasse à la main.

— Connor était très riche mais il n'avait ni ex-femme ni enfants. Pourquoi avait-il pris une assurance vie ?

— C'est une bonne question. Je pense que la réponse se trouve dans la façon dont il l'a souscrite. En fait, M. Brown n'est pas venu à nous, nous sommes venus à lui. Ou plutôt à sa compagnie.

— Je ne suis pas sûre de bien vous suivre.

— Centennial One s'occupe de plus en plus de polices de compensation pour travailleurs. Afin d'encourager les compagnies à signer avec nous, nous offrons aux dirigeants des polices personnelles à durée illimitée.

— C'est un sacré petit avantage !

— Oui, cela nous ouvre beaucoup de portes, apparemment.

— À combien m'avez-vous dit que se montait la police de Connor ?

Comme si elle l'avait oublié !

— 1,9 million de dollars. C'est le maximum pour une compagnie de l'importance de la sienne.

Son front se plissa.

— Il m'a vraiment désignée comme la seule bénéficiaire ?

— Oui, vraiment.

— Quand l'a-t-il fait ?

— Vous voulez dire quand l'a-t-il souscrite ?

Elle opina de la tête.

— Assez récemment. Il y a cinq mois.

— Je comprends mieux, bien que nous n'étions ensemble que depuis peu de temps à cette époque.

— Il savait sans doute ce que vous seriez pour lui dès le départ.

Les larmes qui coulaient sur ses joues l'empêchèrent de sourire tout à fait. En s'excusant, elle les essuya de ses doigts. Je l'assurai que je comprenais. La scène était plutôt touchante, ou l'actrice particulièrement douée.

— Connor m'a déjà tellement apporté ! Et maintenant... ceci.

Elle balaya une autre larme.

— Mais je ne sais pas ce que je donnerais pour l'avoir à mes côtés, conclut-elle.

La voyant boire une gorgée de café, je fis de même.

— Alors, que va-t-il se passer ? Je suppose que je dois signer quelque chose avant que le paiement puisse être effectué, c'est ça ?

Je me penchai au-dessus de la table, enveloppant la tasse de mes deux mains.

— Eh bien, voyez-vous, c'est la raison pour laquelle je suis là, madame Sinclair. Il y a un petit problème.

31

Aux yeux de Nora, s'il avait le langage d'un agent d'assurances, il n'en possédait pas l'allure.

Pour commencer, il ne s'habillait pas trop mal. La cravate était en harmonie avec le costume et le costume à peine passé de mode.

En outre, il faisait une impression agréable. Les courtiers qu'elle avait déjà rencontrés dégageaient autant de charisme qu'une boîte à chaussures. Tout bien considéré, Craig Reynolds était un homme séduisant, doté de quelques atouts. Il conduisait également une jolie petite voiture. Certes, Briarcliff Manor n'était pas le Bronx ; pour diriger une agence par ici, il fallait se fondre dans le décor. Mais il n'était pas encore temps de baisser la garde.

Du moment où il était entré à celui où il avait pris sa tasse des deux mains et annoncé qu'il y avait un problème avec la police d'assurance, elle l'avait observé avec attention en prenant mentalement des notes.

— Quel genre de problème ? s'enquit-elle.

— Une question qui devrait se résoudre assez vite. Voilà : en raison du décès soudain de M. Brown à un âge relativement jeune, ils ont décidé de mener une enquête.

— Qui ça, « ils » ?

— Ceux du siège, à Chicago ; ils mènent la barque.

— Vous n'avez pas votre mot à dire ?

— Dans ce cas, pas vraiment. La police de M. Brown est gérée là-bas. En principe, c'est l'agence située à proximité du client qui s'occupe concrètement de tout. Ce qui signifie que, sans cette enquête, je serais le seul à régler cette affaire.

— Si ce n'est pas vous, qui est-ce ?

— On ne me l'a pas encore dit, mais je pense que ce sera un nommé John O'Hara.

— Vous le connaissez ?

— De réputation seulement.

— Oh là là !

— Qu'y a-t-il ?

— Vous avez froncé les sourcils en disant ça.

— O'Hara a une réputation de dur à cuire. Désolé, il faut s'y attendre de la part d'un enquêteur d'assurances. Mais ne vous inquiétez pas ; selon moi, il s'agit d'une simple routine.

Alors que Craig Reynolds buvait une autre gorgée de café, Nora prit note d'un nouveau détail : il ne portait pas d'alliance.

— Comment trouvez-vous le vanille-noisette ? demanda-t-elle.

— Son goût est encore meilleur que son odeur.

Elle se laissa aller contre le dossier de sa chaise et, tout en cessant d'écouter son interlocuteur, lui adressa un charmant sourire. Il paraissait attentif et plein de sollicitude. De surcroît, quand il souriait, de mignonnes fossettes se dessinaient sur ses joues. Dommage qu'il ne soit pas riche !

Certes, elle n'avait pas de raison de se plaindre ! Ce Craig Reynolds valait 1,9 million de dollars, une aubaine à ne pas dédaigner. Le seul hic était l'enquête à venir. Simple routine, apparemment, mais néanmoins énervante.

Pas trop toutefois. Nora avait un très bon plan, qui résisterait à une investigation serrée de la police, du bureau du médecin légiste, de toute personne ou institution susceptible de se dresser sur son chemin. *A fortiori* d'un enquêteur d'assurances.

Toutefois, quand Craig Reynolds fut parti, elle prit la décision de se faire oublier pendant quelques jours. De toute façon, elle devait retrouver Jeffrey ce week-end : il aurait la surprise de la voir apparaître un jour plus tôt.

Après tout, c'était son mari.

32

Le lendemain matin, un vendredi, Nora sortit de la maison et ouvrit le coffre de son cabriolet garé devant le perron. La météo promettait un ciel dégagé et ensoleillé, avec une température avoisinant les vingt-sept degrés.

La jeune femme pressa le bouton de la télécommande et observa la capote de la voiture qui se baissait lentement. C'est alors qu'elle remarqua une autre voiture dans son champ visuel. Bon sang...

Sur Central Avenue, garée sous les branches entremêlées d'un érable et d'un chêne, se trouvait la BMW de la veille. L'agent d'assurances était assis au volant, des lunettes de soleil sur le nez. Craig Reynolds. Pourquoi était-il revenu ?

Il n'y avait qu'un moyen de le savoir : elle se dirigea tout droit vers lui. La veille, elle l'avait trouvé plutôt amical. Maintenant, il la surveillait, ce qui semblait un peu inquiétant. Pour cette raison, elle se força à ne pas en faire trop.

Craig la vit s'approcher et sauta prestement hors de son véhicule. Vêtu d'un costume d'été de couleur ocre, il s'avança vers elle, en lui faisant un signe amical de la main.

Ils se rencontrèrent à mi-chemin. Nora inclina la tête de côté avec un sourire.

— Si je n'étais pas sûre du contraire, je dirais que vous m'espionnez.

— Si c'était le cas, j'aurais probablement choisi un endroit moins visible, non ?

Il lui rendit son sourire.

— Mille excuses, ce n'est pas ce que vous croyez, poursuivit-il. En fait, il faut blâmer les Mets[1] pour cela.

— Une équipe de base-ball entière ?

— Oui, le directeur compris. J'étais sur le point d'entrer dans votre allée quand la radio a annoncé que le club allait signer un gros contrat avec Houston ; je me suis garé pour pouvoir écouter.

— Je vois. Alors vous ne m'espionniez pas ?

— Négatif. Je ne suis pas James Bond. Juste un fan des Mets très anxieux.

Nora hocha la tête. Soit il disait la vérité, soit c'était un menteur hors pair.

— Pourquoi veniez-vous me voir ?

— Pour une bonne nouvelle. John O'Hara, le gars du siège dont je vous ai parlé, est bien chargé de l'enquête sur le décès de M. Brown.

— Je pensais que ce n'était pas une bonne nouvelle.

— Non, mais ce que je vais ajouter en est une. Je lui ai parlé ce matin et il m'a dit qu'à son avis il n'y aurait pas de problème.

— Tant mieux.

— Autre point positif, je lui ai demandé de faire vite. J'ai eu droit à un sermon sur le fait qu'il n'accordait pas de passe-droit, mais j'ai insisté. Je voulais simplement que vous soyez au courant.

— Je vous remercie, monsieur Reynolds. C'est une agréable surprise.

— Appelez-moi Craig, je vous en prie.

— Dans ce cas, appelez-moi Nora.

— Entendu, Nora.

Il jeta un coup d'œil au cabriolet dont le coffre était toujours ouvert.

— Un petit voyage ?

— Oui.

— Destination intéressante ?

---

1. Les Mets : célèbre équipe de base-ball. *(N.d.T.)*

— Tout dépend de ce que vous pensez du sud de la Floride.

— Comme on dit, c'est un endroit agréable à visiter, mais je n'aimerais pas y voter.

Elle s'esclaffa.

— Il va falloir que j'essaie cette réplique avec mon client de Palm Beach. Non, peut-être vaut-il mieux que je m'abstienne.

— Dans quelle branche travaillez-vous, si ce n'est pas trop indiscret ?

— Je suis décoratrice.

— Vraiment ? Ce doit être agréable. Il n'y a pas beaucoup de jobs qui consistent à dépenser l'argent des autres !

— Sans doute pas.

Elle jeta un coup d'œil à sa montre.

— Oh, je vais être en retard à l'aéroport.

— Excusez-moi, je vous laisse.

— Eh bien, monsieur Reyn... Craig, merci d'être passé, c'est très gentil.

— Pas de problème, Nora. Je vous tiendrai au courant.

— Je vous en saurai gré.

Ils échangèrent une poignée de main. Craig était sur le point de s'éloigner lorsqu'il se ravisa.

— J'y pense. Si vous voyagez, il faudrait que je prenne votre numéro de portable.

Elle hésita l'espace d'une seconde. Impossible de refuser sans éveiller les soupçons de son interlocuteur.

— Bien sûr, dit-elle. Avez-vous de quoi écrire ?

33

J'appelai Susan dès que je retournai à la voiture. Les deux premières rencontres avec Nora méritaient un rapport.

— Est-elle aussi jolie que ça ?

— C'est tout ce qui t'intéresse ?

— Absolument, rétorqua Susan. Cette fille ne peut pas faire ce que nous supposons qu'elle fait sans être une beauté. Alors, elle est belle ?

— Y a-t-il un moyen de répondre à ça tout en restant professionnel ?

— Oui. Cela s'appelle l'honnêteté.

— Alors oui, dis-je. Nora Sinclair est très séduisante. Je dirais même époustouflante, sans exagérer.

— Salaud !

Je gloussai.

— Quelle est ton impression, globalement ? demanda la chef.

— Trop tôt pour le dire. Soit elle n'a rien à cacher, soit c'est une menteuse remarquable.

— Je suis prête à placer dix dollars sur la seconde hypothèse.

— On verra si ça te rapporte.

— Avec toi sur le coup, j'en suis sûre.

— Tu sais, si tu me flattes trop, ma tête va cogner le plafond !

— Ou bien tu vas t'arranger pour me faire gagner.

— C'est écrit dans le manuel, il faut que tu me donnes confiance en moi ? C'est ça ?

— Crois-moi, il n'existe aucun manuel sur la façon de s'y prendre avec toi, dit-elle. Où te trouves-tu en ce moment ?

— Devant la maison de feu Connor Brown.

— Tu as fait ce qu'on avait décidé?

— Affirmatif.

— Il lui a fallu combien de temps pour te voir?

— Quelques minutes.

— Mets ou Yankees?

— Mets. Le sort des Yankees est réglé pour cette année.

— Tu crois qu'elle s'intéresse à ça?

— Non. Mais on n'est jamais trop prudent.

— Amen, dit Susan. Est-ce qu'elle t'a cru?

— J'en suis quasiment sûr.

— Bien. Tu vois bien que c'est toi qu'il nous faut sur cette affaire.

— Ouille!

— Quoi?

— Ma tête vient de heurter le plafond.

— Tiens-moi au courant pour la suite.

— OK, boss.

— Ne prends pas ton air supérieur.

— Je ne recommencerai pas, boss.

Susan me raccrocha au nez.

34

Nora parcourut un peu plus d'un kilomètre avant que le doute irritant qui s'était insinué en elle ne prenne le dessus. En plein milieu de la rue, dans un crissement de pneus, elle fit demi-tour, le volant tournant entre ses mains comme une roue de fête foraine. Si elle se dépêchait, elle pourrait le rattraper.

Il y avait quelque chose de bizarre à propos de Craig Reynolds. Et cela n'avait rien à voir avec son sens de l'humour.

Appuyant sur l'accélérateur, elle reprit en sens inverse le chemin parcouru. La voiture fila le long d'une rue étroite bordée d'arbres, puis d'une autre, faisant un écart pour éviter un véhicule trop lent. Un peu plus loin, une dame promenant son cocker lui jeta un regard désapprobateur.

Un court instant, Nora prit le temps de réfléchir. Était-elle saisie de paranoïa aiguë ? Tout ceci était-il bien nécessaire ? Mais la sensation de doute l'emporta. Elle arrivait presque.

Bon Dieu !

Elle freina brutalement au coin de la rue de Connor. La BMW noire était toujours là. Craig Reynolds n'était pas parti. Pourquoi ? Que faisait-il maintenant ?

Elle passa la marche arrière et dissimula le cabriolet le long d'une haie surmontée de pins. De cet endroit, elle apercevait la silhouette de l'agent sans qu'il puisse la remarquer. Plissant les yeux, elle crut voir, sans en être tout à fait sûre, qu'il était au téléphone.

Il raccrocha rapidement. Au bout d'une minute, les feux arrière de sa voiture brillèrent à travers la fumée qui sortait du pot d'échappement ; il se décidait enfin à partir. Nora était déterminée à savoir où il allait. L'idée de surprendre Jeffrey avait cédé la place à un autre projet : la découverte du véritable Craig Reynolds.

35

Même avant de voir le panneau de Briarcliff Manor, Nora avait compris que Craig se dirigeait vers le centre du bourg. Un coup de chance. Ralentie par deux stops et par un flot de voitures devant céder la priorité, elle avait du mal à ne pas le perdre de vue. S'il s'était dirigé ailleurs que dans cette petite ville paisible, il se serait rapidement évanoui.

L'agglomération lui était familière car elle y était venue plusieurs fois en compagnie de Connor. Mélange de quartiers résidentiels et ouvriers, elle s'ornait de réverbères à l'ancienne, alignés le long de l'artère principale, entre des banques et des boutiques élégantes. Des adolescents aux cheveux violets croisaient sur le trottoir des mères de famille promenant en poussette la dernière petite merveille.

Nora crut un instant qu'elle avait perdu Craig. Mais elle soupira de soulagement en voyant la voiture noire tourner à gauche, loin devant elle. Au moment où elle la rejoignait sans trop s'approcher, son chauffeur en descendait.

Immédiatement, elle rangea le cabriolet le long du trottoir et regarda l'agent disparaître dans un immeuble de brique. Son bureau, sans doute. Lentement, elle passa en voiture devant l'édifice. Une sorte d'enseigne trônait au-dessus des fenêtres du premier étage : « Centennial One Life Insurance. » C'était bon signe.

La jeune femme se gara à une quarantaine de mètres de l'entrée. Jusqu'ici, pas de problème : Craig Reynolds semblait être ce qu'il prétendait. Mais elle n'était pas totalement satisfaite. Quelque chose lui disait qu'il y avait anguille sous roche.

Elle s'installa et patienta, fixant le bâtiment, simple parallé-lépipède à deux niveaux qui n'avait rien de reluisant. Les briques elles-mêmes paraissaient fausses, comme dans la publicité télévisée pour le parement de façade.

Son attente fut de courte durée. Moins de vingt minutes plus tard, Craig retournait à la BMW. Nora se redressa et atten-dit qu'il démarre.

Où allons-nous, galant courtier ? Où que ce soit, je t'accom-pagne.

36

Il se rendait au Ruban Bleu, restaurant à l'ancienne situé à quelques kilomètres de la ville : salle carrée, quelques touches de chrome, déploiement de baies vitrées.

Nora trouva une place de parking discrète qui lui offrait une vue sur la porte d'entrée. Elle jeta un coup d'œil à sa montre : il était midi passé. Ayant sauté le petit déjeuner, elle mourait de faim ; le fait que sa voiture soit arrêtée devant l'extracteur de la cuisine n'arrangeait rien. L'odeur des burgers et de la friture l'incita à fouiller dans son sac pour y prendre un rouleau à moitié entamé de pastilles mentholées.

Quelque quarante minutes plus tard, Craig retourna tranquillement à sa BMW. En l'observant, Nora remarqua à nouveau son élégance mêlée de décontraction, qui confinait au cabotinage.

La balade reprit. L'agent d'assurances fit une course ou deux et retourna à son bureau. Pendant le reste de l'après-midi, Nora, garée devant l'immeuble voisin, se dit une douzaine de fois qu'elle allait abandonner la filature, et se convainquit une douzaine de fois d'insister. Elle était curieuse de ce qui se passerait le soir venu. Craig Reynolds avait-il une vie sociale ? Sortait-il avec quelqu'un ? Où habitait-il exactement ?

Vers 18 heures, les réponses cessèrent de se faire attendre.

La lumière s'éteignit à l'intérieur du bureau et Craig sortit de l'immeuble. Pas de bar ce soir, pas de petite amie ni de dîner en ville. Il se contenta d'acheter une pizza et de rentrer à son domicile.

Nora découvrit alors qu'il cachait quelque chose. Après tout, sa situation était loin d'être aussi reluisante qu'il le laissait paraître. Vu l'aspect de l'endroit où il vivait, il avait visiblement placé tout son argent dans sa voiture et sa garde-robe. Son appartement, à Pleasantville, se trouvait dans un immeuble fatigué situé au sein d'autres immeubles fatigués constituant une sorte de cité. Rien de vraiment impressionnant. Payait-il une pension alimentaire ? Quelle était son histoire ?

Elle envisagea de traîner encore un moment. Peut-être avait-il des projets plus tardifs ? Ou peut-être que, n'ayant rien mangé de la journée, elle commençait à délirer ? La vue de la boîte à pizza avait déclenché des gargouillements dans son estomac et le rouleau de pastilles de menthe n'était plus qu'un lointain souvenir. Il était temps d'aller dîner dans un bon restaurant. Dîner seule. Original !

Satisfaite, elle s'éloigna. Elle était bien placée pour savoir que les gens n'étaient pas toujours ce qu'ils laissaient paraître aux yeux des autres ; il suffisait qu'elle se regarde dans le miroir. Ce qui lui rappela l'une de ses devises favorites : mieux vaut un peu de paranoïa que des regrets cuisants.

37

L'annonce dans le *Westchester Journal* affirmait que cet appartement avait une vue spectaculaire. Sur quoi, je n'en avais pas la moindre idée. La façade avant donnait sur une rue écartée de Pleasantville, tandis que l'arrière offrait une perspective panoramique du parking, orné d'une antique poubelle.

C'est à l'intérieur que ça se gâtait. Sols de dalles vinyliques, fauteuil de skaï noir et causeuse sans conversation. Si l'eau courante et l'électricité étaient censées justifier l'expression « cuisine aménagée », alors je n'avais aucune raison de me plaindre. Pour le reste, je doutais que la vogue des meubles en formica jaune soit de retour.

Au moins, la bière était fraîche.

Après avoir posé la pizza sur la table, j'en saisis une dans le frigo avant de m'affaler sur le canapé défoncé, au milieu du « salon spacieux ». Par bonheur, je ne souffrais pas de claustrophobie. Je décrochai le téléphone et composai le numéro, sachant que Susan était encore au bureau.

— Est-ce qu'elle t'a suivi ? demanda-t-elle de but en blanc.

— Toute la journée.

— Elle t'a vu rentrer dans l'appartement ?

— Affirmatif.

— Elle est toujours là ?

Je bâillai bruyamment.

— Cela signifie-t-il que je dois quitter le canapé pour aller voir ?

— Bien sûr que non, rétorqua-t-elle. Emporte le canapé avec toi.

Un sourire m'échappa ; j'ai toujours adoré les femmes qui assurent.

La fenêtre près du canapé avait un vieux store entièrement baissé. Avec précaution, j'écartai l'un des bords et risquai un coup d'œil.

— Mmmmmm, murmurai-je.

— Qu'est-ce qu'il y a ?

La voiture de Nora avait quitté la place à laquelle elle était précédemment garée.

— Elle en a probablement vu assez, dis-je.

— C'est bien. Elle te croit.

— Tu sais, elle m'aurait cru aussi bien si j'avais un appartement décent. Quelque chose à Chappaqua, par exemple.

— Est-ce que je perçois une plainte ?

— Ce n'est qu'une simple observation.

— Tu ne saisis pas. De cette façon, elle croit qu'elle sait quelque chose sur toi. Les vêtements et la voiture au-dessus de tes moyens te rendent plus humain à ses yeux.

— Le simple fait de se montrer agréable ne suffit-il pas ?

— Nora se montre agréable, n'est-ce pas ?

— Effectivement.

— La discussion est close.

— Ai-je mentionné les meubles en formica jaune ?

— Allons, ça ne peut pas être aussi moche que tu le prétends.

— Facile à dire. Tu n'as pas à vivre ici.

— Ce n'est que temporaire.

— C'est probablement la raison véritable du choix de cet appartement : je vais me dépêcher de boucler l'affaire !

— Cette pensée m'a traversé l'esprit.

— Rien ne t'échappe, hein ?

— Pas si je peux l'éviter, répliqua-t-elle. Bon, sérieusement, tu as bien œuvré aujourd'hui.

— Merci.

Susan me délivra son soupir de fin de journée.

— D'accord, c'est officiel. Nora Sinclair observe Craig Reynolds des coulisses. Qu'est-ce qu'on fait ?

— Pas de problème, dis-je. À moi de jouer, maintenant.

38

Il n'y avait qu'un siège vide en première classe. En temps ordinaire, Nora aurait regretté que ce ne soit pas celui situé à côté d'elle. Mais, en temps ordinaire, elle n'avait pas à partager son accoudoir avec un type aussi mignon. De côté, il ressemblait à Brad Pitt, sans alliance au doigt, sans Jennifer au bras.

Pendant le décollage, la jeune femme – opportunément dépourvue d'alliance, elle aussi – examina son compagnon de voyage d'un regard furtif. Elle était pratiquement sûre qu'il faisait de même. Quel homme ne l'aurait pas fait ? Lorsque le commandant de bord donna la permission de détacher sa ceinture, elle sentit qu'il allait faire le premier pas.

— Je suis moi-même un empileur.

Elle se tourna vers lui en ayant l'air de découvrir tout à coup qu'elle n'était pas seule.

— Pardon ?

— Sur la table à café.

Il eut un large sourire et désigna du menton l'*Architectural Digest* ouvert sur les genoux de sa voisine. Sur la page de droite s'étalait une photographie d'un salon spacieux.

— Vous voyez comme les magazines s'étalent sur la table ? dit-il. Il n'y a que deux sortes de personnes au monde : les empileurs et les étaleurs. À quel groupe appartenez-vous ?

Nora le regarda droit dans les yeux, sans ciller. Pour ce qui était de l'entrée en matière, elle devait lui accorder la palme de l'originalité !

— Eh bien, ça dépend. Mais qui dois-je renseigner ?

— Vous avez parfaitement raison, admit-il en s'esclaffant. Inutile de révéler une information aussi personnelle à un parfait étranger. Je m'appelle Brian Stewart.

— Nora Sinclair.

Il offrit sa main robuste et bien manucurée, qu'elle serra.

— Maintenant que nous nous connaissons, Nora, je pense que vous me devez une réponse.

— Dans ce cas, vous serez heureux d'apprendre que je suis une empileuse.

— Je l'aurais parié !

— Vraiment ?

— Sûr !

Il se pencha légèrement, mais pas trop.

— Vous donnez l'impression d'être très maîtresse de vous-même.

— C'est un compliment ?

— À mes yeux, certainement.

Le vrai Brad Pitt était peut-être plus beau, mais Brian Stewart était indéniablement charmant. Assez pour prolonger la conversation un moment.

— Dites-moi, Brian, qu'est-ce qui vous attend à Boston aujourd'hui ?

— Une douzaine de capitalistes audacieux. Et un stylo.

— C'est prometteur. Je suppose que le stylo est destiné à votre signature ?

— Quelque chose comme ça.

Nora espérait qu'il lui en dirait plus, mais il s'abstint. Elle eut un large sourire.

— Dire que je vous ai révélé être une empileuse et que vous faites preuve de réserve envers moi !

Il changea de position sur son siège, visiblement amusé.

— Pour la seconde fois, vous avez absolument raison. L'année dernière, j'ai vendu ma compagnie de logiciels. Cet après-midi, je lance la nouvelle. Pas très intéressant, n'est-ce pas ?

— Je ne suis pas d'accord. Félicitations, en tout cas ! Et ces capitalistes audacieux, vont-ils investir dans votre compagnie ?

— Dans la mesure où ils me le proposent, j'aurais tort de risquer mon propre argent, non ?

— Alors là, je suis tout à fait d'accord !

— Et vous, Nora ? Qu'est-ce qui vous attend à Boston aujourd'hui ?

— Un client, dit-elle. Je suis décoratrice.

Il hocha la tête.

— La maison de votre client est-elle en ville ?

— Oui, mais ce n'est pas celle que je décore. Il vient de faire construire une villa aux îles Caïmans.

— Un endroit magnifique !

— Je n'y suis pas encore allée, mais c'est pour bientôt.

Sur le point d'ajouter quelque chose, elle s'interrompit.

— Qu'étiez-vous sur le point de dire ? demanda-t-il.

Elle leva les yeux au ciel.

— C'est idiot, vraiment.

— Allez-y, n'hésitez pas !

— C'est juste que… quand j'ai parlé de mon client a une amie, elle m'a dit qu'il s'installait sans doute aux îles Caïmans pour avoir l'œil sur l'argent qu'il soustrait probablement au fisc.

Elle hocha la tête avec une naïveté convaincante.

— Je ne voudrais vraiment pas être mêlée à quelque chose d'illégal.

Brian Stewart prit un air entendu.

— Ce n'est pas aussi sinistre que vous le pensez. Vous seriez surprise de savoir combien de gens ont un compte offshore.

— Vraiment ?

Il inclina le visage à quelques centimètres de celui de sa voisine.

— Je plaide coupable, chuchota-t-il en prenant son verre de champagne. Ce sera notre petit secret.

Brian Stewart méritait peut-être d'être mieux connu.

— Aux secrets ! dit-elle.

— Aux empileuses ! renchérit-il.

39

— Que désirez-vous ? demanda-t-elle.

Je levai les yeux vers l'hôtesse de l'air fatiguée, morte d'ennui, essayant malgré tout de se montrer aimable. Son chariot et elle étaient enfin revenus vers moi.

— J'aimerais un Coca *light*, dis-je.

— Oh, je suis désolée, j'ai donné le dernier dix rangs plus haut.

— Un *ginger ale* ?

Ses yeux survolèrent les canettes ouvertes sur le plateau du chariot.

— Mmmmm, murmura-t-elle.

Elle se pencha et ouvrit les tiroirs l'un après l'autre.

— Je suis vraiment désolée, je n'en ai pas non plus.

— Procédons autrement, proposai-je. Que vous reste-t-il ?

— Aimez-vous le jus de tomate ?

— Seulement avec de la vodka et une branche de céleri. Rien d'autre ?

— Il me reste un Sprite.

— Plus maintenant.

Il lui fallut une seconde pour comprendre que cela signifiait « oui, merci ».

Elle versa la moitié du Sprite dans un gobelet transparent qu'elle me tendit avec un sac de bretzels. Alors qu'elle s'éloignait, j'élevai le récipient au niveau de mes yeux. Si on louchait sur les bulles suffisamment longtemps, le liquide ressemblait presque au champagne que Nora devait siroter en première classe.

J'ouvris la bouche et y lançai un mini-bretzel, en essayant de remuer les jambes. Aucun espoir. Sous la tablette baissée, elles étaient totalement coincées. L'engourdissement total de mes extrémités inférieures était imminent.

C'est à ce moment précis que je saisis la tonalité essentielle de cette mission, résumée en un mot : exiguïté. Bureau exigu, appartement exigu, siège exigu au dernier rang de la classe économique où je respirais l'odeur des toilettes exiguës situées au-dessus de mon épaule. Mais tout n'était pas perdu.

La filature en avion comporte un réel avantage : pas de risque de perdre la personne suivie pendant le voyage. À dix mille mètres d'altitude, nul ne se risquerait à ouvrir la porte latérale.

Je lorgnai le rideau bleu roi tout au bout de l'allée. Bien que les chances de voir Nora apparaître pour se mêler aux pauvres bougres restaient minces, voire nulles, je devais demeurer vigilant.

Plus tôt, à l'aéroport de Westchester, j'étais certain qu'elle ne m'avait pas repéré. Même si j'étais passé dans son champ visuel, elle n'aurait pu me reconnaître. Outre ma casquette de base-ball, mes lunettes de soleil, mon survêtement et ma chaîne en or, j'avais sorti ma fausse moustache, ainsi qu'un *Daily News* régulièrement situé dans un rayon de trente centimètres de mon visage : j'étais le roi de l'incognito.

Non, Nora ne se doutait pas qu'elle avait de la compagnie sur ce vol, j'en étais absolument certain. Mais la réponse que j'ignorais, c'était celle qui correspondait à la question du jour : qu'y avait-il d'intéressant pour elle à Boston ?

40

Derrière Nora et son élégante petite valise roulante, j'empruntai l'escalator qui conduisait au niveau inférieur. Comme toujours, elle offrait de splendides perspectives arrière et avant, auxquelles s'ajoutaient une démarche gracieuse et un sourire éblouissant, dès qu'il se révélait nécessaire. Pas une seule fois elle n'eut besoin de se repérer en levant les yeux sur un panneau : j'étais prêt à affirmer que ce n'était pas son premier passage dans cet aéroport. Je la suivis jusqu'à la sortie.

Dès qu'elle fut à l'extérieur, elle s'immobilisa soudain. Au bout de quelques minutes, ce qu'elle attendait apparut : la navette pour l'agence de location de voitures Avis.

À la seconde où elle sauta dedans, je fonçai vers la file de taxis.

— Emmenez-moi chez Avis, aboyai-je à la nuque du chauffeur.

Il tourna vers moi son visage buriné de vieux marin.

— Quoi ?

— Emmenez-moi…

— J'ai saisi, mon vieux. Mais ils ont des navettes pour ça.

— Je n'aime pas attendre.

— Moi non plus.

Il pointa la lunette arrière du pouce.

— Vous voyez cette file de taxis derrière moi ? J'ai pas poireauté pour une course de trois dollars.

La navette s'éloignait inexorablement.

— D'accord, dites votre chiffre.

— Trente dollars, et c'est mon dernier mot.
— Vingt.
— Vingt-cinq.
— Allez-y !

41

Tandis que le taxi fonçait, je commençai immédiatement à jouer du téléphone. Les numéros de chaque ligne aérienne, chaîne hôtelière et société de location de voitures étaient enregistrés. C'était obligatoire dans mon boulot.

J'appelai Avis. Après une minute du disque incontournable, je fus dirigé sur une employée disponible.

— Et pour quand vous faut-il cette voiture, monsieur ?

— Dans cinq minutes, peut-être moins.

— Ah !

Elle me promit de faire de son mieux.

Le conducteur de la navette avait le pied léger ; nous le dépassâmes avant qu'il n'arrive à destination. Au moment où Nora montait dans un cabriolet, j'étais derrière le volant d'une camionnette – véhicule parfait pour ce genre de circonstances. Qui pourrait s'attendre à être suivi par un engin pareil ?

Je veillai quand même à maintenir une distance raisonnable entre nous, jusqu'à ce que Nora démontre clairement qu'elle conduisait non pas une navette, mais une Formule 1.

Plus je fonçais, plus elle accélérait. Au lieu de me mêler aux autres voitures, j'étais forcé de les dépasser en flèche. Pour ce qui était de ne pas me faire remarquer...

Merde ! Un feu rouge. J'en avais déjà brûlé un, mais celui-ci se trouvait à un carrefour. Nora le franchit ; moi pas. Alors qu'elle devenait un point noir à l'horizon, je ne pus rien faire que jurer et attendre. L'idée de l'avoir suivie jusqu'ici pour la perdre me soulevait l'estomac.

Feu vert ! J'enfonçai l'accélérateur et le klaxon en même temps, faisant crisser les pneus. Le jeu s'était transformé en course-poursuite et j'étais sur le point de me faire semer. Je jetai un coup d'œil au compteur. Cent, cent dix, cent vingt kilomètres à l'heure.

Enfin, je repérai ma Nora droit devant. Je poussai un soupir de soulagement et essayai de me rapprocher. J'avais deux voies à ma disposition et le trafic était suffisamment fluide pour que je puisse passer de l'une à l'autre sans trop me faire remarquer.

Le soleil se levait de nouveau. Mes yeux auraient dû en faire autant.

42

Cela m'aurait permis de voir le panneau, sur la passerelle, annonçant que l'autoroute se scindait en deux. Mais j'étais trop occupé à fixer l'énorme camion de livraison de matelas qui se trouvait devant moi et que je m'apprêtais à doubler.

Mauvaise décision.

Le pied droit écrasant la pédale, je déboîtai et longeai le flanc du poids lourd. Il me bloquait la vue. Penché en avant, j'essayai de voir le cabriolet. Mais j'aperçus autre chose. De gros plots jaune vif. Du genre qu'on remplit d'eau et qu'on plante dans le béton au niveau de l'embranchement, afin que l'automobiliste indécis, au lieu de s'écraser, se contente de faire un plongeon.

Je levai les yeux sur le camion. Nous étions au même niveau et le chauffeur me regardait. Je lorgnai les gros plots jaune vif. Ils se rapprochaient, très vite. Les voies allaient se séparer. J'étais sur celle de gauche, Nora sur celle de droite. Il fallait que je me rabatte. Alors que je l'avais presque dépassé, le camion accéléra. J'enfonçai le klaxon en même temps que l'accélérateur.

Nora passa de l'autre côté des plots, tandis que je m'éloignais des zones habitées. À grande vitesse.

J'écrasai la pédale de frein. Si je ne pouvais pas dépasser le poids lourd, je me rabattrais derrière. Les deux tonnes de la camionnette se mirent à vibrer sauvagement alors que le camion de matelas – dix tonnes au minimum – se déportait vers moi. C'est alors que je compris que le chauffeur voulait changer de voie.

Je n'entendis ni les klaxons ni le crissement de pneus. Je ne perçus que les battements assourdissants de mon cœur lorsque le nez de la camionnette heurta l'arrière du camion, dans un froissement de métal.

Des étincelles jaillirent. Je perdis le contrôle du volant, tournoyai et faillis me retourner. À ce moment précis, les plots jaunes explosèrent, stabilisant du même coup ma camionnette. Mon visage heurta l'airbag. Ça faisait incroyablement mal, mais toujours moins qu'un pare-brise !

Le trafic reprit tandis que je sortais du véhicule, au milieu d'immenses mares d'eau. Quel abruti ! Et il allait falloir annoncer ça à Susan !

— Je l'ai perdue.

— Quoi ? fit-elle d'un ton sec.

— J'ai dit…

— Comment est-ce possible ?

— J'ai eu un accident.

Elle changea aussitôt de registre.

— Tu vas bien ?

— Oui, ça va.

— Bon… Mais comment as-tu pu la perdre ?

— Cette nana conduit comme une folle furieuse.

— Je ne vois pas le problème, tu conduis exactement de la même façon.

— Je suis sérieux, tu devrais la voir !

— Je suis tout aussi sérieuse, aboya Susan. Ça n'aurait jamais dû arriver.

La chef ne me facilitait pas les choses. Bien que tenté de réagir à l'agressivité par l'agressivité, je me persuadai qu'il valait mieux faire preuve de contrition.

— Tu as raison, avouai-je. J'ai foiré.

Elle baissa d'un ton.

— Tu penses qu'elle t'a repéré ?

— Non. Ce n'est pas qu'elle cherchait à me semer ; elle conduit naturellement très vite.

— Combien de bagages avait-elle ?

— Une petite valise roulante qu'elle a gardée dans la cabine.

— Bon. Rentre à New York. Où qu'elle aille, on peut penser qu'elle reviendra dans la maison de Connor Brown assez rapidement.

Je décidai que le moment était venu de changer de sujet.

— On a eu l'autorisation d'exhumer, finalement ?

— Oui, c'est en route. On aura les papiers bientôt. Je te tiendrai au courant. Allez, rentre bien. Et essaie de ne rien bousiller d'autre aujourd'hui.

J'attendis qu'elle raccroche et je secouai lentement la tête. Pour me calmer, je fis les cent pas, mais sans succès. Plus j'allais et venais, plus je me sentais mal. Tout à coup, la tension amassée dans mon corps entier s'accumula dans mes poings.

Smash !

Une vitre en moins pour mon estafette de location, qui, elle, ne m'adresse pas le moindre reproche !

43

Nora jeta un coup d'œil dans le rétroviseur. Quelque chose venait de se produire derrière elle, peut-être un accident. Si c'était le cas, cela n'avait probablement rien à voir avec l'impression bizarre qu'elle éprouvait à l'estomac depuis qu'elle était montée dans le cabriolet. La sensation de ne pas être seule.

Alors qu'elle arrivait à Back Bay, le malaise disparut. Le trafic sur Commonwealth Avenue oscillait entre l'extrême lenteur et l'immobilité totale. En raison d'une marche de protestation quelconque sur l'avenue principale, toutes les rues secondaires étaient surchargées. Nora fut obligée de faire trois fois le même circuit avant de trouver une place.

L'alliance avait retrouvé son doigt. Après une vérification de son aspect dans le miroir du pare-soleil, elle était prête. La valise fut sortie, la capote de la voiture remontée. L'heure d'entrer en scène était arrivée.

Comme à son habitude, Jeffrey était au travail quand elle ouvrit la porte. Il n'y avait que trois choses qui pouvaient le détourner de son écriture : la nourriture, le sommeil et le sexe. Pas nécessairement dans cet ordre.

Au lieu de l'appeler, elle se dirigea vers le fond de la demeure. Il n'avait aucune chance de l'entendre arriver car il avait toujours besoin d'une musique de fond. Elle ouvrit la porte au-delà de l'office et pénétra dans le patio privé. Orné de treillis fleurdelisés couverts de lierre et d'autres plantes grimpantes, cet endroit retiré offrait une totale intimité.

Il ne lui fallut qu'une minute pour se préparer. Confortablement installée dans un fauteuil relax en osier garni de coussins, elle prit son portable et composa le numéro. Quelques secondes plus tard, elle entendit sonner le téléphone de la maison. Jeffrey finit par décrocher.

— C'est moi, mon cœur, dit-elle.

— Ne me dis pas que tu ne viens pas !

Elle gloussa.

— Pas pour l'instant.

— Attends, où es-tu ?

— Regarde derrière toi.

Elle leva les yeux vers la silhouette de son mari qui se dessinait derrière la fenêtre de la bibliothèque et entendit résonner son rire.

— Oh... superbe ! approuva-t-il.

Nora était uniquement parée de ses nu-pieds. Elle roucoula dans le téléphone.

— Est-ce que tu vois quelque chose qui te plaît ?

— À dire vrai, je ne vois rien qui me déplaise.

— Bien. Ne te blesse pas en dévalant l'escalier !

— Qui a dit que je me servirais de l'escalier ?

Il ouvrit la fenêtre, enjamba l'appui et, en parfait athlète, se laissa glisser souplement le long de la gouttière. Au grand ravissement de son épouse.

Le record masculin du déshabillage fut battu sur-le-champ. Jeffrey rampa lentement sur le relax et s'allongea sur Nora, entourant son dos de ses bras puissants. C'était un homme très sexy, quand on réussissait à l'arracher à son ordinateur.

La jeune femme ferma les yeux et les garda clos pendant tout le temps qu'ils firent l'amour. Elle aurait aimé ressentir quelque chose pour son mari, n'importe quoi. Mais c'était le vide total.

Allons, Nora. Tu dois le faire. Tu as l'habitude maintenant.

La petite voix qui résonnait dans sa tête avait perdu ses intonations amicales ; c'était celle d'une étrangère importune, de quelqu'un qu'elle connaissait à peine. Elle savait cependant que plus elle s'efforcerait de l'ignorer, plus elle deviendrait insistante, impérieuse.

Jeffrey jouit et se détacha d'elle, à bout de souffle.

— Quelle surprise géniale. Tu es la meilleure.

Demande-lui s'il a faim, Nora !

Si elle protestait, elle ne ferait que gagner un peu de temps. Il n'y avait qu'un moyen de réduire la voix au silence.

— Où vas-tu ? demanda Jeffrey.

Elle s'était levée et pénétrait dans la maison.

— Je vais voir ce que je peux te préparer pour le dîner. J'ai envie de cuisiner pour toi.

44

Jusque-là, c'était un désastre.

Le Touriste était assis dans la petite pièce miteuse avec une autre bière. Était-ce la cinquième ou la sixième? À ce stade, cela n'avait que peu d'importance. Tout comme le match de base-ball interminable qui se déroulait sur l'écran de la télé. Tout comme la pizza saucisse-oignons qui refroidissait sur la table, devant lui.

Son ordinateur affichait des articles de presse relatant la fusillade de New York. Plus d'une douzaine, qui traitaient de « L'Épreuve de force ». L'histoire était présentée avec des fioritures qui ne l'étonnaient pas vraiment. Il avait laissé derrière lui une foule de questions sans réponses. L'encre coulait à flots, multipliant conjectures et spéculations, crédibles pour certaines d'entre elles, farfelues pour la plupart. La courte note qui accompagnait les textes résumait le tout :

« Le cirque est arrivé en ville. Fais-toi oublier, Touriste. Je te ferai signe. »

Il sourit et relut les témoignages contradictoires. « Comment se fait-il que le même événement puisse avoir été vu si différemment par des personnes qui se trouvaient à moins d'une dizaine de mètres les unes des autres ? » écrivait un éditorialiste des *News*.

— Eh oui, comment diable cela se fait-il? dit le Touriste à haute voix.

Il s'adossa à sa chaise et posa les pieds sur la table. Son identité resterait un secret, car il avait pris les précautions nécessaires. Il aurait aussi bien pu n'être qu'un fantôme.

Il n'y avait qu'une seule chose qui le tracassait maintenant, qui le tracassait beaucoup, à vrai dire : à quoi se rapportait la liste que lui avait révélée la clé USB ? À quoi correspondaient tous ces comptes offshore ? 1,4 milliard, tout de même ! Cet argent valait-il qu'un pauvre bougre sacrifie sa vie devant Grand Central ? Apparemment.

Valait-il le sacrifice d'autres vies ? De la sienne, par exemple ? Sûrement pas.

Faisait-il partie d'un tableau plus vaste qui pouvait prendre tout à coup un sens, sous une autre perspective ? Qui pouvait le dire ? En tout cas, c'était vraiment à souhaiter.

45

Jeffrey regarda Nora, assise de l'autre côté de la petite table éclairée d'une bougie.

— Tu es sûre que ça te plaît ?

— Mais bien sûr, dit-elle.

— Je n'en suis pas convaincu. Tu semblais un peu contrariée quand j'ai suggéré de sortir au lieu de manger à la maison.

— Ne sois pas idiot. C'est merveilleux.

La jeune femme s'efforçait d'assortir son attitude aux mots qu'elle prononçait, ce qui demandait un réel talent. Elle était venue rejoindre son mari dans le but de lui préparer son dernier repas. Et voilà que tous deux se retrouvaient dans le restaurant italien qu'il préférait.

Jamais elle ne s'était sentie aussi à cran. Elle avait l'impression d'être un cheval de course coincé dans un portail de départ qui refusait de s'ouvrir.

— J'adore cet endroit, dit Jeffrey en regardant autour de lui.

Elle aurait dû apprécier comme lui ce décor simple et élégant : nappes de lin blanc, couverts luisants et lumières tamisées. Mais, franchement, elle s'en foutait complètement.

Alors que son compagnon prenait un osso buco, elle choisit un risotto aux cèpes. Elle ne se sentait aucun appétit. Heureusement, le vin était un chianti 1994 : elle en avait bien besoin. Quand les assiettes furent débarrassées, elle dirigea la conversation vers le week-end à venir. Son projet interrompu pesait lourdement sur son esprit.

— Tu as oublié que je m'en vais, chérie. Un festival du livre, en Virginie.

— C'est vrai, j'avais oublié.

Elle avait envie de hurler.

— Je n'arrive pas à croire que je vais te laisser seul au milieu de toutes tes adoratrices.

Jeffrey posa les mains croisées sur la table et se pencha vers elle.

— Tu sais, dit-il, j'ai réfléchi à notre comportement, en ce qui concerne notre mariage. Enfin, à mon comportement, plutôt. Je n'aurais pas dû insister pour le tenir secret.

— Tu as eu l'impression que ça me tracassait ? Parce que…

— Non. Tu t'es montrée si compréhensive ; ça me culpabilise d'autant plus. J'ai la femme la plus merveilleuse du monde, il est temps que le monde entier l'apprenne.

Nora eut le sourire qui convenait mais, à l'intérieur, ses feux de détresse clignotaient furieusement.

— Et tes fans ? demanda-t-elle. Toutes ces femmes de Virginie qui s'attendent à voir en chair et en os le célibataire le plus sexy et le plus convoité, celui qu'elles admirent depuis des lustres dans *People* ?

— Qu'elles aillent se faire foutre !

— C'est à peu près ce qu'elles espèrent, mon cœur.

Jeffrey lui saisit les mains et les serra légèrement.

— Tu as été totalement généreuse et je me suis montré d'un égoïsme épouvantable. Mais c'est terminé.

Nora sentit qu'il ne servait à rien de discuter. En tout cas, pas maintenant. Elle faisait face à un mâle typique, qui avait décidé de ce qui était bon pour elle et qui n'en démordrait pas.

— Écoute, dit-elle. Va à ta foire aux livres, époustoufle les dames avec ton physique, ton charme et ton érudition, et nous en reparlerons à ton retour.

— Sûr, répondit-il d'un ton qui voulait dire le contraire. Il n'y a qu'un tout petit problème.

— Lequel ?

— Hier, j'ai accordé une interview au *New York Magazine*. Je suis passé aux aveux et j'ai parlé de toi. Du mariage à Cuernavaca. Tu aurais vu la tête de la journaliste, elle ne tenait plus en place à l'idée d'aller rédiger son article. Elle m'a demandé si elle pouvait prendre des photos de nous. J'ai accepté.

Ces propos eurent raison de l'impassibilité de Nora.

— Tu as fait ça?

— Oui, dit-il en lui serrant les mains plus fort. Ce n'est pas un problème, n'est-ce pas?

— Non, ce n'est pas un problème.

Pas le moins du monde. C'est juste une catastrophe.

46

Nora rentra à Manhattan en fin d'après-midi, heureuse de retrouver le confort et le calme de son loft, ainsi que les objets qu'elle avait achetés au fil des années : le cadre de sa vraie vie.

Alors qu'elle se faisait couler un bain, elle écouta son répondeur. Bien qu'elle l'ait régulièrement interrogé à distance, il y avait quatre messages. Les trois premiers concernaient son travail, le dernier provenait de son compagnon de voyage, Brian Stewart, le sosie de Brad Pitt.

Cette communication était du genre qu'elle affectionnait : courte et agréable. Son correspondant lui disait à quel point il avait apprécié leur rencontre et était impatient de la revoir.

— Je reviens en ville à la fin de la semaine et j'aimerais vous inviter à sortir un soir. Nous nous amuserons comme des fous, je vous le promets !

Si tu le dis, Brian...

Elle prit un bain, commanda des plats chinois et tria son courrier. Le journal de 23 heures n'était pas terminé qu'elle s'était assoupie et dormait comme un bébé.

Le lendemain, juste avant midi, elle entra chez un antiquaire de l'Upper East Side. Ayant toujours trouvé cet endroit plus qu'étouffant, elle attribuait à la plupart des vendeurs un âge plus avancé encore que celui des meubles qui les entouraient. Cette boutique était toutefois l'une des favorites de son client, Dale Minton, producteur de cinéma confirmé, qui avait insisté pour qu'ils s'y retrouvent.

Nora flâna seule quelques minutes. Après être passée devant un canapé écossais, elle sentit une petite tape sur son épaule.

— C'est bien vous, Olivia !

L'homme très excité qui se trouvait devant elle était l'avocat d'affaires qui cachait mal sa calvitie.

— Euh… bonjour, dit Nora.

Faisant mentalement défiler ses fiches, elle retrouva son nom : Steven Keppler.

— Comment allez-vous, Steven ?

— Très bien. Je vous ai appelée, mais vous ne m'avez pas entendu.

Elle ne cilla pas.

— Oh, c'est moi tout craché. Plus je suis absorbée par mon travail, moins j'entends ce qui se passe autour de moi !

Steven rit, sans insister. Alors qu'ils s'engageaient dans un échange de menus propos, elle eut droit de nouveau au regard concupiscent de son interlocuteur. Tout en parlant, elle fixait l'entrée du magasin. Si Dale arrivait, ce pourrait être un désastre.

— Alors Olivia, êtes-vous ici à titre personnel ou pour un client ?

— Pour un client, dit-elle en regardant sa montre.

C'est alors qu'elle aperçut Dale Minton qui faisait son entrée dans la boutique avec panache. On aurait dit qu'il était le propriétaire des lieux.

— Oh, le voici justement !

Elle s'efforçait de ne pas paniquer, mais la perspective de voir sa supercherie découverte la mettait à bout de nerfs.

— Je vous laisse à vos affaires, dit l'avocat. Promettez-moi d'accepter une invitation à dîner un de ces jours.

Ce type savait se saisir de la moindre occasion ! Il savait que « oui » était la réponse la plus rapide ; un « non » aurait exigé une explication.

— Entendu. Ce serait très agréable. Téléphonez-moi.

— Certainement. Je suis en vacances à partir de la semaine prochaine mais, dès mon retour, je vous rappellerai votre promesse.

Il se détourna. Dale se trouvait encore à deux mètres environ : la balle était passée tout près. Soudain, il ajouta, tout en s'éloignant :

— J'ai été très heureux de vous voir, Olivia.

Avec un faible sourire, Nora regarda son client, qui paraissait troublé.

— Pourquoi cet homme vous appelle-t-il Olivia? s'enquit celui-ci.

La jeune femme adressa une prière à la déesse de l'à-propos, qui heureusement l'entendit. Elle s'inclina vers son interlocuteur en murmurant:

— Je l'ai rencontré à une réception, il y a quelques mois, et je lui ai dit que je me nommais ainsi... pour des raisons évidentes!

Dûment éclairé, Dale opina du chef. La jeune femme sourit franchement. Ses deux vies restaient bien séparées.

Pour l'instant, en tout cas.

47

Une femme blonde se déplaçait d'un meuble à l'autre, les yeux protégés par des lunettes de soleil. Elle se sentait un peu ridicule de jouer ainsi les détectives privés, mais il fallait absolument qu'elle surveille Nora Sinclair.

Dans tout autre lieu que New York, elle se serait fait remarquer. Mais, dans l'Upper East Side, elle n'était qu'une cliente, en train de flâner. S'arrêtant devant un portemanteau de chêne aux crochets de cuivre brillants, elle fit semblant d'en regarder le prix. Ses yeux et ses oreilles restaient fixés sur la décoratrice.

Nora ou Olivia ? Elle ne savait que penser de l'échange avec l'homme au front dégarni. Quelqu'un qui répond à deux noms a probablement quelque chose à se reprocher...

Nora était maintenant rejointe par un homme plus âgé. Par mesure de précaution, la blonde s'éloigna du couple à deux reprises, mais elle réussit néanmoins à saisir des bribes de leur conversation.

L'homme était un client. Les commentaires de son interlocutrice, dans un jargon très technique, montraient qu'elle était vraiment décoratrice, et qu'elle possédait bien son sujet. La profession de Nora n'avait jamais été vraiment mise en doute, c'était le reste qui posait problème : sa double vie, ses secrets. Mais il n'y avait encore aucune preuve. C'est pourquoi la blonde avait décidé de mener elle-même son enquête.

— Excusez-moi, puis-je vous aider ? Avez-vous besoin de renseignements ?

Elle se retourna et vit un employé âgé qui s'approchait d'elle. Il arborait un nœud papillon, une veste en tweed et de grandes lunettes à lourde monture, probablement aussi antiques que lui.

— Non merci, répondit-elle en chuchotant presque. Je regarde, c'est tout, mais je ne vois rien qui me plaise.

48

Après avoir perdu Nora à Boston ce samedi-là, le reste du week-end se déroula d'une façon qui ne pouvait être qualifiée que d'un seul mot : merdique.

Sur la liste des conneries spontanées auxquelles je m'adonnais, jouer des poings sur la vitre de ma voiture de location arrivait largement en tête. Heureusement, d'après mon propre auto-examen médical, je ne m'étais pas cassé la main. Véritable modèle de rigueur, ce questionnaire se résumait à : est-ce que tu peux encore bouger les doigts, abruti ?

Quand le lundi matin se présenta enfin, je me rendis prestement chez Connor Brown pour voir si Nora était revenue. Ce n'était pas le cas. L'après-midi, après avoir effectué le même parcours avec le même résultat, je décidai qu'il était temps d'essayer son portable. Je sortis mon carnet, dans lequel j'avais noté le numéro qu'elle m'avait donné, et je composai celui-ci de ma voiture.

Un homme me répondit.

— Je suis désolé, dis-je. J'essayais de joindre Nora Sinclair.

Il ne connaissait personne de ce nom. Je raccrochai et vérifiai que le numéro appelé correspondait bien aux chiffres inscrits sur mon carnet. Je ne m'étais pas trompé. Bien joué, Nora !

Je fixai le volant pendant un moment avant d'attraper de nouveau le téléphone. Cette fois, une jeune et agréable voix féminine me répondit.

— Centennial One Life Insurance, bonjour !

— Très convaincant, Molly.

— Vraiment?

— Absolument. Si je n'étais convaincu du contraire, je croirais que vous avez une lime à ongles à la main.

Molly était ma nouvelle secrétaire. Nora m'ayant suivi jusqu'au bureau, il avait été décidé que je ne pouvais plus représenter la société à moi seul.

— Rendez-moi un service, voulez-vous? demandai-je. Vérifiez le numéro de portable de Nora.

— Il ne se trouve pas déjà dans le dossier?

— Peut-être, mais je veux m'assurer qu'elle n'en a pas changé récemment.

— D'accord. Donnez-moi dix minutes.

— Je vous en donne cinq.

— Est-ce ainsi que vous traitez votre nouvelle employée?

— Exact, dis-je. Je vous donne quatre minutes.

— C'est injuste!

— Tic-tac, tic-tac, tic…

Molly était sortie de l'école depuis seulement deux ans. Encore un peu verte, selon Susan, et encline à commettre quelques erreurs de jugement, elle apprenait vite. Je ne fus pas surpris qu'elle me rappelle au bout de trois minutes.

— Nous avons toujours le même numéro pour elle, dit Molly.

Elle me le répéta et je le comparai à celui qui figurait dans mon carnet. Je ne pus éviter de sourire. Seuls les deux derniers chiffres étaient différents. Ils avaient été inversés. Intéressant. Qui de nous deux les avait intervertis? Elle ou moi?

— Rien d'autre? demanda Molly.

— Non, j'ai tout ce qu'il me faut. Merci.

Je pris congé. Exprès ou non, Nora s'était arrangée pour m'éviter à nouveau. Que faire?

Tôt dans ma carrière, j'avais appris qu'il y a parfois une différence entre l'information qu'on possédait et celle qu'on pouvait utiliser. Et je me trouvais précisément confronté à ce dilemme. J'avais le numéro correct de Nora, mais je devais agir comme si je ne l'avais pas.

De ma plus belle écriture, je rédigeai un mot que je laissai sur la porte de la maison de Connor Brown. J'étais pratiquement sûr qu'elle le lirait. Mais quand ?

49

Nora revint à Briarcliff Manor à la fin de la semaine pour régler son départ. En dépit de l'offre de la sœur de Connor, qui lui permettait de vivre dans la demeure aussi longtemps qu'elle le désirait, elle voulait déménager.

En revanche, elle s'apprêtait à prendre au mot l'offre relative au mobilier qui s'étalait sur mille mètres carrés. Elle était bien placée pour savoir qu'il valait une véritable petite fortune, somme qu'elle se ferait un plaisir d'empocher sous le prétexte d'atténuer la culpabilité d'Elizabeth. Il lui fallait simplement un petit coup de main.

— Bonjour, madame Sinclair à l'appareil. Pourrais-je parler à Harriet ?

— Bien sûr. Un instant, je vous prie.

Nora changea son téléphone d'oreille ; elle se trouvait sur le siège arrière de la limousine qui l'emmenait vers la maison. Son amie prit la ligne.

— Tiens, tiens, ma décoratrice favorite.

— Je parie que tu dis ça à tous les décorateurs !

— En effet. Et figure-toi qu'ils me croient. Comment vont les affaires, Nora ?

— Plutôt bien. C'est pour ça que je t'appelle.

— Quand te verrons-nous au magasin ?

— Justement, j'ai besoin que tu viennes faire un devis.

— Oh là ! À quel endroit ? New York City, j'espère. Dis-moi tout.

— Briarcliff Manor. Un de mes clients est récemment décédé.

— Je suis désolée de l'apprendre.

— Je l'étais aussi, dit Nora calmement. Enfin voilà, on m'a demandé de m'occuper de ses meubles pour le règlement de la succession.

— Tu veux nous les confier ?

— C'est ce que je pensais faire.

— Un devis, donc ? La maison a combien de pièces ?

— Vingt-six.

— Oh là !

— Je sais. Personne ne peut régler ça mieux que toi.

— Je parie que tu dis ça à tous tes fournisseurs !

— Et figure-toi qu'ils me croient.

Nora prit quelques minutes pour décrire le mobilier et fixer une date pour la visite d'Harriet. Au moment où elle prenait congé, la voiture pénétra dans l'allée de Connor.

Tandis que le chauffeur sortait sa valise, elle se dirigea vers la porte. C'est alors qu'elle aperçut le mot de Craig Reynolds.

« Appelez-moi dès que possible. Merci. »

50

La sonnerie du téléphone retentit dans mon bureau, suivie de la voix de Molly.

— C'est elle, annonça-t-elle.

Je souris. Elle ne pouvait parler que d'une seule personne. Nora était de retour ; ce n'était pas trop tôt.

— Voilà ce que je veux que vous fassiez, Molly. Dites à Mme Sinclair que je vais la prendre tout de suite. Puis mettez-la en attente et regardez votre montre. Dans quarante-cinq secondes, transférez l'appel.

— Compris.

Je m'adossai à ma chaise et contemplai le plafond. Il était constitué de ces dalles d'isolation phonique qui donnent envie d'y planter des crayons bien taillés. J'aurais pu prendre le temps de rassembler mes pensées, mais je ne faisais rien d'autre depuis une semaine. Il n'y avait pas une seule pensée égarée qui m'appartienne dans un rayon de cent cinquante kilomètres.

La sonnerie retentit. Merci Molly ! Je soulevai le récepteur et tentai de personnifier au mieux un agent d'assurances surchargé de travail.

— Nora, vous êtes toujours là ?

— Je suis toujours là.

Elle n'avait visiblement pas apprécié ce délai.

— Je vous demande encore une petite seconde, d'accord ?

Avant qu'elle puisse protester, je la remis en attente. Et je m'abîmai dans la contemplation du plafond. Un mil-li-on, deux mil-li-ons, trois mil-li-ons… À quinze millions, je repris la ligne et poussai un énorme soupir.

— Nom d'un chien, je suis désolé de vous avoir fait patienter, Nora, dis-je, tentant de personnifier au mieux un agent d'assurances confus. Je bouclais un dossier avec un client sur une autre ligne. J'en déduis que vous avez eu mon mot?

— Il y a quelques minutes, oui. Je suis à la maison.

Le moment était venu de tester son talent de menteuse.

— Comment s'est passé votre voyage? Au Maryland, si je me souviens bien?

— En Floride, en fait.

Non, à Boston, ma petite. J'aurais aimé le dire, mais je me contins.

— Ah, c'est vrai. Je ne voudrais pas y voter. Le voyage a été bon?

— Excellent.

— Savez-vous que j'ai essayé de vous joindre sur votre portable, au numéro que vous m'avez donné, mais je suis tombé sur quelqu'un d'autre.

— C'est bizarre. Quel numéro avez-vous fait?

— Attendez que je vérifie, je l'ai sous la main.

Je le lus à mon interlocutrice.

— Tout s'explique, dit-elle. les deux derniers chiffres sont 8-4 et non 4-8. Mon Dieu, j'espère que ce n'est pas moi qui les ai inversés. Si c'est le cas, j'en suis désolée.

Un sans-faute.

— Ce n'est pas grave. C'est probablement moi qui ai cafouillé. Il m'arrive de faire preuve de dyslexie.

— Quoi qu'il en soit, nous arrivons tout de même à nous parler.

— Exact. Je voulais vous voir au sujet de l'enquête.

— Y a-t-il du nouveau?

— On peut dire ça.

Je marquai un temps d'hésitation avant de poursuivre :

— Je vous en prie, n'imaginez rien de grave, mais je pense que nous devrions en discuter de visu.

— Mauvaise nouvelle?

— Ce n'est pas ce que j'ai dit.

— Sauf que, si les nouvelles étaient bonnes, vous me l'annonceriez maintenant, reconnaissez-le.

— D'accord, ce pourrait être mieux, mais je vous assure qu'il n'y a rien de perdu. Est-ce que nous pourrions nous voir un moment dans la journée ?

— Je pense que je pourrais venir à votre bureau vers 16 heures.

Et je sais que tu n'auras pas besoin de guide, Nora.

— 16 heures, c'est parfait. Mais nous serions mieux ailleurs qu'au bureau. Il y a ici une équipe de peintres au travail et les émanations sont insupportables. J'ai une idée. Savez-vous où se trouve le Ruban Bleu ?

— Oui. Juste en dehors de la ville. J'y suis allée.

Je sais.

— Bien, dis-je. Je vous y retrouve à 16 heures pour un café. Ou éventuellement pour un goûter dînatoire ?

— Pas si nous parlons du même restaurant.

Je ris et reconnus que nous nous en tiendrions au café.

— À 16 heures donc, dit-elle.

Tu peux y compter, Nora.

51

Que ce soit en matière de nourriture, de décor ou de service, le Ruban Bleu ne risquait pas de remporter le premier prix ! Mais, pour un restaurant de banlieue, il était tout à fait correct. On y trouvait des œufs cuits à point, des bouteilles de ketchup à peu près régulièrement remplies et des serveuses qui, si elles étaient peu susceptibles de gagner un concours d'amabilité, restaient professionnelles. Elles prenaient les commandes pratiquement sans se tromper et se montraient promptes à remplir de nouveau les tasses de café.

Depuis mon arrivée dans le quartier, c'était ici que je mangeais. J'étais sûr qu'il y avait de meilleurs endroits dans les environs, mais je n'étais pas motivé au point d'aller à leur recherche. Lorsque je pénétrai dans la salle, quelques minutes avant 16 heures, le patron me reconnut et me salua d'un signe de tête.

— Nous serons deux, lui dis-je, voyant qu'il s'apprêtait à me tendre un menu.

Nora arriva trois minutes plus tard. Vêtue d'une jupe sombre et d'un chemisier crème en soie, elle portait des chaussures à hauts talons.

Tout ça pour moi, ma belle ? Tu n'aurais pas dû !

À cette heure, éloignée à la fois du déjeuner et du dîner, la salle n'était qu'à moitié pleine : elle n'eut aucun mal à me repérer dans le box aux cloisons matelassées, de couleur rouge, où je m'étais installé. Je me levai pour l'accueillir et, lorsque nous nous fûmes serré la main, je la remerciai d'être venue, conscient du parfum raffiné qui se dégageait d'elle.

Ne te laisse pas distraire, Craig.

Alors qu'elle s'asseyait, la serveuse resurgit aussitôt. Le badge qui aurait dû révéler son nom comportait l'inscription « Hé, mademoiselle ! », révélant ainsi une touche de fantaisie que son attitude très sérieuse aurait difficilement laissé deviner.

Nous commandâmes tous deux un café et je me laissai tenter par une part de tarte aux pommes. Mon tour de taille aurait pu s'en passer, mais il s'agissait, à mes yeux, d'une initiative judicieuse : comment ne pas faire confiance à un type qui ne sait pas résister aux tartes aux pommes ?

Observant Nora alors que la serveuse s'éloignait, je compris aussitôt qu'il fallait réduire les propos mondains au strict minimum. Elle était à cran. Venue pour entendre de mauvaises nouvelles, elle n'avait aucune envie de prolonger le suspense. J'allai donc droit au but.

— Je me sens très gêné. Depuis le début, je vous parle de cette enquête comme s'il s'agissait d'une procédure de routine. En fait, l'autre jour…

Ma voix s'affaissa tandis que je hochais la tête d'exaspération.

— Quoi ? L'autre jour quoi ?

— C'est ce maudit O'Hara ! m'exclamai-je.

Je ne hurlai pas, mais mon intonation suffit à faire tourner une ou deux têtes vers nous. Je baissai d'un ton.

— Je ne comprends pas comment ils peuvent laisser un type comme ça en charge d'une enquête. Je ne vois pas à quoi ça sert.

Nora, le regard fixe, attendait. Ce qui, pourtant, ne faisait pas partie de ses habitudes.

— Il a apparemment contacté le FBI, laissai-je tomber.

Elle battit des paupières.

— Je ne comprends pas.

— Moi non plus, Nora. O'Hara est le gars le plus méfiant que j'aie jamais rencontré. À ses yeux, le monde entier est une vaste conspiration. Il est complètement parano.

— Super !

Elle s'adossa au siège, les épaules voûtées. La confusion envahissait ses yeux verts ; j'avais presque pitié d'elle.

— Le FBI ? Qu'est-ce que ça signifie ?

— Une chose que quelqu'un qui vient de perdre un être cher ne devrait jamais avoir à endurer, décrétai-je.

Après une courte pause, d'un bel effet dramatique, j'ajoutai :

— Je crains que le corps de votre fiancé ne soit sur le point d'être exhumé.

— Quoi ?

— Je sais, c'est terrible. Si je pouvais m'y opposer, je le ferais. Mais je ne le peux pas. Pour une raison connue de lui seul, cet imbécile d'O'Hara refuse d'accepter l'idée qu'un homme de quarante ans puisse naturellement avoir une crise cardiaque. Il veut faire procéder à d'autres examens.

— Mais il y a eu une autopsie !

— Je sais… je sais.

— Ce type n'est pas convaincu par les résultats ?

— Ce n'est pas vraiment ça, Nora. Il veut des examens plus approfondis. Les autopsies générales sont… Eh bien, elles sont très générales. Elles ne permettent pas de découvrir certaines choses.

— Que voulez-vous dire ? Quelles choses ?

La question resta en suspens car la serveuse revenait. Alors qu'elle posait sur la table nos cafés et ma tarte aux pommes, je constatai que mon interlocutrice s'affolait de plus en plus. Son émotion me paraissait sincère, mais quelle en était la cause ? Avais-je affaire à la fiancée éprouvée ou à la meurtrière confrontée au risque d'être soudain démasquée ?

La serveuse repartit.

— Quelles choses ? dis-je en reprenant sa question. N'importe lesquelles, je présume. Supposons, par pure hypothèse, que Connor se droguait ou qu'il avait un problème de santé de longue date. Ces éléments, non mentionnés sur son formulaire d'adhésion, pourraient rendre la police d'assurance nulle et non avenue.

— Aucun de ces deux cas ne s'appliquait à lui.

— Vous le savez et, entre nous, je le sais aussi. Malheureusement, ce n'est pas le cas de John O'Hara.

Nora versa un peu de lait dans son café et y ajouta deux sucres.

— Écoutez, déclara-t-elle, dites-lui qu'il peut garder l'argent. Je n'en veux pas.

— J'aimerais que ce soit aussi simple. Sur le plan légal, Centennial One a l'obligation de distribuer l'argent aux bénéficiaires, sauf en cas d'irrégularités. Si étrange que cela puisse paraître, vous n'avez pas le choix.

Elle posa les coudes sur la table et laissa tomber sa tête dans ses mains. Lorsqu'elle la releva, je vis une larme couler le long de sa joue.

— Vous allez déterrer le cercueil de Connor ? murmura-t-elle. C'est vraiment ce que vous allez faire ?

— Je suis vraiment désolé.

Je me sentais réellement mal à l'aise. Et si elle était innocente ?

— Vous comprenez pourquoi je ne voulais pas discuter de tout ça par téléphone, repris-je. La seule chose que je puisse vous dire, c'est que si j'étais O'Hara, je ne me prêterais jamais à une chose pareille.

En prononçant ces mots et en la voyant essuyer ses yeux avec une serviette en papier, les paroles de mon père me revinrent en mémoire.

« Il ne faut pas se fier aux apparences. »

Je ne pouvais pas dire si le chagrin de Nora était authentique ou non, mais je savais ceci : elle en était venue à détester John O'Hara. Et plus elle le détestait, plus je pouvais gagner sa confiance.

Situation d'une rare ironie, il fallait l'admettre. Car John O'Hara ne se trouvait pas à Chicago au siège de Centennial One Life Insurance. Il était assis dans un box du Ruban Bleu et dégustait une part de tarte aux pommes en répondant au nom de Craig Reynolds. Et l'assurance n'était en rien son domaine.

III

DES JEUX TRÈS DANGEREUX

52

Susan, folle de rage, m'aboyait dans les oreilles.

— Qu'est-ce que tu veux dire ? Tu lui as révélé que nous allions exhumer le cadavre de Connor ?

— Fais-moi confiance, c'est tout à notre avantage, arguai-je. Plus que jamais, Nora pense que je suis de son côté. En plus, tu m'as dit toi-même que le fait de déterrer le corps comportait un risque. Elle aurait pu le découvrir autrement.

— J'ai simplement évoqué un faible risque.

— Je te répète que nous avons tourné la situation à notre avantage.

— Nous n'avons rien fait du tout, O'Hara. Tu as agi seul, sans même me consulter !

— Disons que j'ai un peu improvisé.

— Tu ne fais que ça et tous tes ennuis viennent de là ! Si nous établissons un plan, c'est bien pour savoir tout le temps ce que fait l'autre, non ?

— Allons, Susan, reconnais au moins que ça joue en notre faveur !

— Ce n'est pas la question. J'ai besoin d'un partenaire, tu comprends ? Pour cette affaire, tu n'es plus le flic infiltré.

J'hésitai un instant :

— Tu as raison, je suis l'agent fédéral infiltré.

— Plus pour longtemps, si tu te distingues de cette façon. Je n'aime pas les cow-boys.

Nous nous tûmes tous les deux pendant quelques secondes. Je rompis le silence.

— Tu sais, je préfère quand tu me mets la pression.

Elle ne réussit qu'à produire un petit rire forcé.

— Alors, Einstein, maintenant que Nora sait que nous allons récupérer son fiancé, que comptes-tu faire?

— Facile. Attendons les résultats. Si notre labo dit qu'il y a meurtre, nous avons notre criminelle.

— Il te faut des preuves.

— Beaucoup plus faciles à obtenir lorsque tu sais ce que tu cherches.

— Et si le labo ne trouve rien?

— J'annonce la bonne nouvelle à Nora et je redouble d'effort pour la piéger.

— Tu oublies une chose.

— Laquelle?

— Elle pourrait être innocente.

— Entendre ça de la bouche de quelqu'un qui trouve tout le monde coupable!

— Je dis juste…

— Non, je comprends. Tout est possible. Mais cette femme est impliquée dans la mort de deux hommes dans deux États différents. Si c'est une coïncidence, alors elle n'a vraiment pas de veine!

— Tu as raison, attachons-la tout de suite à la chaise électrique!

— Ah, voilà qui est mieux. Pendant une seconde, j'ai cru que tu étais quelqu'un d'autre.

— En parlant de ça, combien de chances y a-t-il pour que Nora se toque de ton alter ego?

— Pfff… Craig Reynolds ne fait pas partie de son univers. Il ne gagne pas assez d'argent.

— On ne sait jamais. Si elle est absolument convaincue que tu es de son côté, elle peut vouloir s'encanailler auprès d'un pauvre, pour changer.

— Alors j'ai l'appartement qu'il me faut; parfait pour explorer les bas-fonds.

— Tu ne vas pas recommencer?

— Non, mais si je dois passer encore trop de temps dans ce taudis, je vais demander l'aide sociale.

— O'Hara, si c'est l'aspect le plus difficile de ta mission, tu n'auras pas trop à te plaindre.

53

Nora poussa doucement la porte de la chambre de sa mère et s'efforça de sourire. Elle était d'une humeur massacrante et le savait, tout comme les personnes qui l'avaient approchée : Emily Barrows et cette nouvelle infirmière, Patsy.

— Bonjour, maman.

Olivia Sinclair, vêtue de sa chemise de nuit jaune, était assise sur ses couvertures. Elle jeta un coup d'œil à la visiteuse avec un sourire vide.

— Oh, bonjour.

Les nuages qui s'étaient accumulés tout au long de la journée commençaient à se dissiper et le soleil pénétrait dans la pièce à travers les stores. Attrapant une chaise dans un coin, Nora la tira à côté du lit.

— Tu as bonne mine.

N'importe quelle fille aurait dit cela. Ce qui différenciait Nora des autres, c'est qu'elle le croyait. Elle ne pouvait voir la malade qu'à travers ses seuls souvenirs. Ou grâce à la force de l'habitude. Quand Olivia avait été envoyée en prison, Nora n'avait jamais eu le droit de lui rendre visite. Elle avait grandi avec une image de sa mère figée dans le temps, qui avait été son seul repère stable alors qu'elle passait d'une famille d'accueil à l'autre.

— J'aime bien lire, tu sais.

Oh merde !

— Je sais. Je suis désolée, j'ai oublié de t'apporter un livre cette fois-ci. Il s'est passé… J'ai…

Une tondeuse démarra au-dehors. Le ronflement du moteur fit sursauter la jeune femme qui se sentit tout à coup paralysée et oppressée. Seules les larmes semblaient encore fonctionner. Ses défenses se fissuraient et le monde extérieur s'engouffrait dans les brèches. Elle s'essuya les yeux.

— Je suis désolée.

Soudain, elle revit sa mère tirer sur son père. Tous les événements de cette nuit restaient imprimés dans sa mémoire : les mots prononcés, les vêtements de chacun, même l'odeur de soufre du coup de feu.

Tout cela pour rien ! Elle ne me reconnaît même pas.

Nora attrapa un mouchoir en papier sur la table de nuit. C'était comme si le barrage s'était rompu : ses larmes, ses émotions, tout jaillissait à l'extérieur. Elle perdait pied et éprouvait un besoin irrépressible de se confier à quelqu'un.

Elle prit une profonde inspiration et emplit ses poumons au maximum. Quand elle expira enfin, elle ferma les yeux et commença :

— J'ai commis des actes terribles. Il faut que je t'en parle.

Elle ouvrit les yeux, la vérité au bout de la langue, et se figea. Quelque chose d'horrible se produisait. Bondissant hors de sa chaise, elle se précipita vers la porte et s'élança dans le couloir en hurlant :

— Au secours ! Aidez-moi ! Ma mère est en train de mourir !

54

La tête d'Emily Barrows pivota instantanément en direction des cris stridents. Elle reconnaissait la voix de Nora. Sortant précipitamment de son bureau elle appela Patsy, qui se trouvait dans la réserve. Arrivée dans le couloir, voyant la jeune femme qui agitait frénétiquement les bras, elle s'efforça de franchir la trentaine de mètres qui la séparait de la chambre d'Olivia plus vite que sa corpulence ne le lui permettait habituellement.

— Qu'y a-t-il? s'exclama-t-elle. Que s'est-il passé?

— Je ne sais pas. Elle…

La surveillante fonça dans la pièce, et y découvrit alors une scène digne de *L'Exorciste*. Olivia Sinclair était en proie à des convulsions, le corps tendu, les bras et les jambes agités de spasmes. Les secousses du lit produisaient un bruit métallique assourdissant. Malgré ce spectacle, auquel s'ajoutait la panique complète de la visiteuse, Emily retrouva instantanément son calme. Jetant un regard par-dessus son épaule, elle vit Patsy sur le pas de la porte.

— Aidez-moi, lui intima-t-elle.

La jeune infirmière la rejoignit à petits pas nerveux.

— C'est votre première crise d'épilepsie?

La jeune fille acquiesça.

— Bon. Regardez ce qu'il faut faire. D'abord, vous la roulez sur le côté, au cas où elle vomirait, afin qu'elle ne s'étouffe pas.

Croisant les bras, elle observa sa collègue qui semblait de nouveau pétrifiée.

— Ne restez pas là sans rien faire, mon petit.

L'infirmière se ressaisit et s'exécuta.

— D'accord. Et maintenant? demanda-t-elle.

— Vous attendez.

— J'attends quoi?

— Que la crise s'arrête.

— Vous voulez dire que c'est tout ce qu'il y a à faire?

— Exactement. N'essayez pas de la restreindre de quelque façon que ce soit. Regardez simplement votre montre. Neuf fois sur dix, cela ne dure pas plus de cinq minutes. Si ce n'est pas le cas, il faut appeler un docteur.

Nora, tétanisée, était choquée de voir sa mère servir de cobaye pour un cours pratique destiné à une jeune infirmière.

— Il doit bien y avoir autre chose à faire! protesta-t-elle.

— Non. Faites-moi confiance; c'est beaucoup plus spectaculaire qu'inquiétant.

— Et sa langue? Est-ce qu'elle ne risque pas de l'avaler?

Emily secoua la tête, essayant de rester patiente.

— C'est un mythe, déclara-t-elle. Ce n'est même pas une éventualité.

Mais Nora n'était pas satisfaite. Elle était sur le point d'insister pour que l'on aille chercher un docteur lorsque, tout à coup, tout s'arrêta. Le lit, le bruit, les convulsions.

Le silence se fit. Après avoir retourné Olivia sur le dos, la surveillante glissa sous sa tête les minces oreillers. Nora se précipita et saisit la main de sa mère qu'elle serra. Pour la première fois du plus loin qu'elle pût se souvenir, elle sentit une légère pression sur ses doigts.

— Tout va bien, maman, dit-elle doucement. Tout va bien.

55

Six pieds sous terre.

Je ne sais vraiment pas d'où vient cette expression. En tout cas, pas du cimetière de Sleepy Hollow, près de la vieille église hollandaise. Bien que les fossoyeurs aient creusé sur une hauteur de six pieds au-dessus de la tombe de Connor, on ne voyait pas trace de cercueil. Il fallut enlever six autres pieds de terre pour que je perçoive enfin le son sourd du métal heurtant un objet de bois.

Au moins, je n'étais pas chargé de dégager la fosse dans ce lieu célèbre où reposaient plusieurs membres de la famille Rockefeller. Près de moi se tenait un policier dont le regard vide était sans doute justifié par une fatigue évidente à laquelle se mêlait un ressentiment compréhensible.

J'avais pour objectif de régler le problème aussi vite et discrètement que possible. Ce qui signifiait une équipe réduite, pas d'équipement lourd et le début des opérations à 2 heures du matin. Je voulais à tout prix éviter le grand jour et une foule de figurants.

Outre le policier au visage de pierre, j'avais à ma disposition trois employés du cimetière. Après l'installation de deux petits projecteurs, ils avaient œuvré pendant environ une heure. La seule autre personne qui nous accompagnait était un chauffeur du laboratoire d'anatomo-pathologie du FBI, qui semblait avoir à peine atteint l'âge du permis de conduire.

Je jetai un coup d'œil au policier.

— Tu te rappelleras cette partie de plaisir, hein?

Ce trait ne me valut ni rire ni gloussement. *Tant pis pour toi*, pensai-je. Je reportai mon attention sur le trou béant. Les fossoyeurs s'affairaient autour du cercueil à demi déterré. Ils étaient sur le point de passer des sangles sous les poignées, qui ne me paraissaient pas d'une solidité à toute épreuve.

— Vous êtes sûrs que ces trucs sont assez solides pour soulever un tel poids ? m'enquis-je.

Tous trois levèrent les yeux en même temps.

— En principe oui, dit le plus grand, qui mesurait environ un mètre soixante.

Son anglais était correct. Les deux autres se contentèrent de hocher la tête. Les sangles furent fixées et les gars sortirent de la fosse. Ils soulevèrent une structure en aluminium, comportant une manivelle, qu'ils posèrent à califourchon au-dessus du trou avant d'y accrocher l'extrémité des liens. Soudain, un bruit se fit entendre.

Clac !

Bon sang, qu'est-ce que c'était !

Personne ne prononça ces mots, mais notre échange de regards collectif révéla clairement qu'ils étaient dans tous les esprits. On aurait dit des branches craquant sous des pas. Nous nous figeâmes et tendîmes l'oreille. Au-dessus de nos têtes se balançait la ramure épaisse d'un chêne, grinçant et gémissant ; à nos pieds bruissaient quelques feuilles, balayées par la brise. Le bruit ne se répéta pas.

Les trois gars du cimetière – moins impressionnables que le reste d'entre nous – retournèrent à leur tâche et commencèrent à tourner la manivelle. Progressivement, le cercueil de Connor se souleva. Simultanément, le vent redoubla. Un froid soudain me fit courir un frisson le long du dos. Je n'avais rien d'une grenouille de bénitier, mais je ne pouvais m'empêcher de penser à ce que nous osions faire. Déranger les morts. Jouer avec l'ordre des choses. Tout cela me faisait mauvaise impression.

Clac !

Le son retentit de nouveau dans la nuit. Mais il ne s'agissait pas de branches écrasées, cette fois. C'était dix fois plus fort.

Les poignées d'un côté du cercueil cédèrent sous l'effet de la traction, forçant sur les charnières qui s'écartèrent avec un crissement épouvantable. Le contenu du cercueil roula avec lenteur à l'extérieur. Le corps de Connor Brown.

— Bordel de Dieu ! s'exclama le policier.

Nous nous précipitâmes vers le bord de la fosse et fûmes accueillis par une odeur de putréfaction épouvantable. Mon réflexe de régurgitation, mis en branle, me saisit à la gorge et me fit reculer, mais pas avant de m'avoir laissé apercevoir un visage en décomposition : la peau blanche et filandreuse, les orbites démesurées d'où saillaient des globes oculaires presque totalement vitreux, me fixant droit dans les yeux.

Les fossoyeurs juraient dans un mélange d'espagnol et d'anglais alors que le môme du labo se contentait de hocher la tête. Le policier, quant à lui, se tenait toujours près de moi, en train de dégobiller.

— Qu'est-ce qu'on fout maintenant, putain ! demandai-je.

La réponse prit la forme d'une échelle. Un gars du cimetière devait descendre dans la fosse. Le seul moyen de récupérer le corps à présent était de le soulever.

— Il nous faut de l'aide, décréta le porte-parole du trio.

Jamais je n'avais eu à prendre de décision plus simple. Je me tournai vers le policier, toujours plié en deux et se délivrant des derniers restes de son dîner. Il me rendit mon regard, sa figure pâle totalement incrédule.

— Moi ? hoqueta-t-il. Là-dedans ?

Mon sourire était un modèle d'éloquence.

56

Nora n'était pas sûre qu'ils l'aient vue, mais elle était certaine qu'ils l'avaient entendue. La branche qui avait craqué sous son pied alors qu'elle essayait de s'approcher un peu avait retenti comme un pétard.

Quand ils s'étaient tous retournés, elle s'était laissée tomber derrière la pierre tombale la plus proche, les genoux serrés contre la poitrine, en retenant sa respiration. Il était temps de se demander si elle n'avait pas pris trop de risques. Mais il lui était impossible de rester à l'écart. Si macabre et pénible que soit cette épreuve, il fallait qu'elle s'y résigne. Déterrer le corps de Connor... Allaient-ils vraiment aller jusque-là ?

Eh bien oui. Nora frissonna. Même vêtue de son sweater, elle sentait le froid du granit s'insinuer dans son dos. Avec précaution, elle jeta un coup d'œil. Ils s'étaient remis au travail, attachant des sangles à un appareil posé par-dessus la fosse. Lentement, ils commençaient à soulever le cercueil.

Elle les observait avec anxiété. Jusqu'à présent, tout s'était déroulé sans la moindre anicroche. Elle était libre, ne risquait rien et n'avait aucune raison de s'inquiéter. Et maintenant, la tuile ! À cause de cet imbécile d'O'Hara. Pour qui se prenait-il, ce sale con, cet enfoiré ! Et d'abord, où se trouvait-il ?

Nora avait eu la certitude qu'en suivant Craig Reynolds, cette nuit-là, elle le verrait enfin. C'était essentiellement dans ce but qu'elle était venue. Une fois éliminés les trois fossoyeurs et le policier, il ne restait, à part Craig, qu'une autre personne, mais c'était à peine un homme ; ce gosse qui fumait cigarette sur cigarette ne pouvait en aucun cas être O'Hara.

À ce moment précis, elle vit surgir le cercueil. Détournant précipitamment les yeux, elle écrasa son dos contre la pierre, le cœur battant à tout rompre.

Ce qu'elle entendit alors la remplit d'épouvante. Un claquement horrible provenait de la tombe de Connor. Chaque muscle du corps de Nora se tendit. Elle ne savait pas ce qui s'était passé, et une partie d'elle-même voulait en rester là. Il fallait pourtant qu'elle regarde.

Elle jeta un autre coup d'œil.

Ses yeux s'écarquillèrent et ses lèvres s'ouvrirent pour hurler. Le cercueil de Connor s'inclinait d'un côté, le couvercle béant. En voyant vomir le policier, elle sentit qu'elle allait faire de même. C'est ce qui se serait produit si l'un de ses autres instincts n'avait pris le dessus. L'instinct de fuite.

57

Le lendemain, Nora retourna à Manhattan et se rendit directement dans un centre de soins esthétiques, à proximité de chez elle. Elle réclama un masque corporel à la carotte et au sésame, ainsi qu'un massage à l'huile tiède, puis s'abandonna à la manucure et à la pédicure. Habituellement, rien ne la détendait autant que de se faire dorloter.

Mais, trois heures et quatre cents dollars plus tard, elle ne se sentait pas mieux. Les événements de la nuit précédente pesaient encore lourdement sur son esprit. La perspective de passer la soirée seule lui faisait froid dans le dos.

Elle envisagea d'appeler Elaine et Alison. Peut-être seraient-elles partantes pour une soirée improvisée ? Alors qu'elle tendait la main vers son portable, elle se ravisa. Il y avait peut-être un meilleur moyen de se distraire. Au lieu de se contenter de ce qu'elle avait, elle allait se montrer aventureuse. En garde, Brian Stewart !

Appelant le riche magnat rencontré dans l'avion, elle lui demanda s'il avait des projets pour la soirée.

— Rien que je ne puisse décommander, répondit-il aussitôt. Donnez-moi deux minutes.

Lorsqu'il rappela après avoir libéré son agenda, il se révéla prêt à le remplir de nouveau. Uniquement avec Nora.

— J'espère que vous n'avez pas à vous lever trop tôt demain matin, annonça-t-il en riant.

Avec enthousiasme, il décrivit le programme en détail : cocktails, dîner, musique et danse. La jeune femme se montra enchantée. Rien de tel que la tournée des grands-ducs après avoir passé une nuit dans un cimetière.

58

En sirotant son apéritif, Brian Stewart la régala d'anecdotes amusantes sur son enfance. Nora écouta et rit quand il le fallait. Remarquant que nombre de ces histoires mettaient en scène une famille dont les membres semblaient très proches les uns des autres, elle ne put s'empêcher de ressentir une certaine jalousie. Après toutes ces années où elle avait constamment changé de foyer d'accueil, elle avait de la chance quand quelqu'un se souvenait de son anniversaire.

Il n'était évidemment pas question d'en toucher mot. Au fil des années, elle s'était concocté un passé parfait : père architecte, mère enseignante, vie idyllique en compagnie de ses parents dans les collines du Connecticut. Plus elle en parlait, plus elle était capable d'oublier la vérité. Un jour, elle l'espérait, ce serait comme si elle n'avait jamais assisté au meurtre de son père par sa mère.

Au cours du dîner, l'atmosphère devint de plus en plus intime. Elle regardait maintenant son compagnon sans penser à Brad Pitt. Brian était assez beau pour tirer tout le bénéfice de son physique. Il était également amusant. Ce n'était pas toujours le cas des hommes riches qui se révélaient, la plupart du temps, particulièrement ennuyeux et très égocentriques. Elle avait de la chance de l'avoir rencontré. Et c'était apparemment un sentiment partagé.

Vu la façon dont les choses évoluaient, ils n'iraient sans doute pas danser. Elle essaya d'imaginer le domicile du magnat. Un appartement de grand standing, probablement. Ou un loft intéressant.

— Vous amusez-vous ? demanda-t-il.

— Énormément.

Tout à coup, il eut un sourire contraint. Quelque chose le tracassait. Nora se pencha vers lui.

— Qu'est-ce qui ne va pas ?

Il tripota longuement sa cuillère à dessert, comme s'il s'évertuait à agacer la jeune femme. Il y réussit.

— Je dois vous avouer quelque chose, dit-il enfin.

— Vous êtes marié !

— Non, je ne suis pas marié, Nora.

— Alors, de quoi s'agit-il ?

Sa cuillère à dessert virevoltait toujours.

— Et il y a autre chose que je ne suis pas.

Il prit une profonde inspiration.

— Ce que j'essaie de dire, c'est que je ne suis pas vraiment un riche créateur de logiciels.

Les mots restèrent suspendus dans l'atmosphère. Nora était littéralement sans voix. Elle fixait le visage de Brian, dont la couleur écarlate ne devait rien à l'alcool. Son aveu les avait tous deux dégrisés.

— Désolé de vous avoir menti.

— Pourquoi l'avez-vous fait ?

— J'avais peur de ne pas vous paraître assez intéressant.

Nora cligna des paupières.

— Quel est votre métier, en réalité ?

— Je travaille dans la publicité.

— En d'autres termes, vous mentez pour gagner votre vie ? Il n'y a donc pas de capitalistes audacieux qui vous attendent à Boston ?

— Non, juste un client. Gillette.

Elle secoua la tête

— Si j'ai bien compris, vous avez pensé que je ne pouvais vous apprécier que si vous étiez riche ?

— Je l'avoue.

— Vous vous êtes dit que c'était la seule façon de m'inciter à coucher avec vous pour une nuit ; cette nuit, par exemple ?

— Vous êtes injuste.

Elle lui lança un regard dubitatif.

— Vraiment ?

— Bon, d'accord, c'était un peu ça, au début en tout cas, admit-il. Mais, comme je vous l'ai dit, je ne peux plus tricher avec vous.

— Y a-t-il une chose de vraie dans ce que vous m'avez raconté ?

— Tout était vrai, excepté ma fortune. Pouvez-vous me pardonner ?

Pour l'effet dramatique, Nora marqua une courte hésitation. Puis elle se pencha et saisit la main de son compagnon.

— Oui, dit-elle, je vous pardonne.

Quelques minutes plus tard, quand ils eurent retrouvé leur complicité, elle se leva pour aller vérifier son maquillage aux toilettes, qui se trouvaient à l'avant du restaurant. Elle franchit la porte de l'établissement et héla un taxi. Un instant, elle se demanda combien de temps il faudrait à Brian pour se rendre compte qu'elle ne reviendrait pas.

59

La grande blonde détourna rapidement le visage quand la petite brune passa à côté d'elle. Elles étaient si proches que chacune pouvait sentir la chaleur du corps de l'autre. C'était un moment dangereux. C'était même carrément une erreur.

Assise au bar et sirotant un Martini, elle n'avait cessé d'observer le couple. Jusqu'au départ de Nora, elle avait été convaincue d'assister à un dîner galant, sans doute le premier, si l'on en croyait l'attitude des participants. Sans pouvoir entendre la conversation, elle avait constaté que les choses évoluaient dans le bon sens. Ce qui rendait cette brusque sortie particulièrement étonnante.

Plusieurs minutes s'écoulèrent. La blonde empala l'olive plongée dans son Martini avec un cure-dent, laissant son esprit passer en revue toutes les explications possibles. Nora avait eu besoin de passer un appel, ou de fumer une cigarette. Mais elle n'avait jamais vu la jeune femme avec une cigarette à la main.

Elle jeta un coup d'œil vers la table où était assis le soupirant délaissé. Il était très séduisant. On aurait dit...

— Excusez-moi, dit une voix par-dessus son épaule.

Se retournant, elle vit un homme d'âge mûr à la chevelure poivre et sel, habillé d'une veste de sport, d'un pull à col roulé, et d'une généreuse rasade d'after-shave. Elle le fixa sans rien dire. Il désigna alors le tabouret vacant à côté d'elle.

— Ce siège est pris ?

— Je ne crois pas.

La gratifiant d'un sourire chevalin, il s'assit.

— Difficile de croire que personne ne s'est précipité auprès d'une aussi jolie femme, dit-il en calant les avant-bras sur le comptoir. Puis-je vous offrir un autre verre ? ajouta-t-il en se penchant vers elle.

— Je n'ai pas encore terminé celui-ci.

— Pas de problème, j'attendrai, déclara-t-il d'un air décidé. Toute la nuit, s'il le faut.

La blonde lui jeta un regard aguicheur, leva son Martini et le lui versa sur la tête.

— Voilà, c'est réglé, conclut-elle.

Elle se leva et s'éloigna, mais pas vers la porte. Convaincue que Nora ne reviendrait pas, elle se dirigea vers la table où le soupirant soupirait toujours.

— Excusez-moi, vous attendez Nora Sinclair ?

Il la regarda, légèrement surpris.

— Euh… oui, en fait. C'est ça.

— Je crains qu'elle ne revienne pas.

— Que voulez-vous dire ?

— Je l'ai vue sortir du restaurant.

Redoublant de surprise, il jeta un coup d'œil vers la porte et se leva pour aller voir ce qui se passait.

— Ne prenez pas cette peine. Ça fait cinq bonnes minutes maintenant.

Il se rassit.

— Je ne comprends pas. Êtes-vous une de ses amies ?

— Pas vraiment, répliqua-t-elle en se glissant sur la chaise vide. Me permettez-vous de vous poser une ou deux questions ?

60

Nora avait besoin de s'éloigner de New York quelques jours. Heureusement, elle savait où aller.

Le trafic se révéla très fluide jusqu'à une demi-heure environ de Boston. La remorque d'un tracteur, qui s'était mise en travers de la route, avait créé un bouchon sur plusieurs kilomètres, ce qui avait rappelé à la jeune femme pourquoi elle choisissait toujours d'effectuer le trajet en avion. Mais cela n'avait pas grande importance.

Après l'épisode du cimetière et le dîner en compagnie du don juan sans le sou, elle aspirait à un peu de stabilité, ce qui l'avait poussée à rester sur le plancher des vaches. Elle avait eu raison de prendre la journée pour se rendre à Boston. Et pour passer la nuit avec sa moitié.

— Bon sang, qu'est-ce que tu m'as manqué ! s'écria Jeffrey en l'accueillant dans le vestibule de l'hôtel particulier.

Il la serra dans ses bras, embrassant ses lèvres, puis ses joues et son cou, avant de recommencer.

— Je suis presque tentée de te croire, déclara Nora. Je pensais que tu m'aurais complètement oubliée après ton festival, et toutes ces femmes en folie.

— Comment pourrais-je oublier ceci, ceci et ceci ? demanda-t-il en désignant les différentes parties de son corps.

— Je ne peux qu'être d'accord !

Ils continuèrent à s'embrasser et à se taquiner jusqu'à la chambre à coucher. Leurs vêtements épars sur le sol et leurs corps couverts de sueur, ils firent l'amour tout l'après-midi et en début de soirée. Jeffrey s'éloigna du lit juste le temps d'aller ouvrir au livreur de plats vietnamiens.

Ils dégustèrent des salades de crevettes, du poulet aux amandes et du bœuf à la citronnelle en se blottissant l'un contre l'autre et en regardant *La Mort aux trousses*. Nora adorait Alfred Hitchcock, à ses yeux l'un des metteurs en scène les plus vicelards du septième art. Alors que Cary Grant se retrouvait suspendu au sommet du mont Rushmore, Jeffrey s'endormit.

Nora attendit patiemment. Lorsqu'elle perçut le sifflement régulier qui sortait du nez de son mari, elle se glissa hors du lit et se dirigea vers la bibliothèque où se trouvait l'ordinateur. Tout se passa comme sur des roulettes. Elle accéda facilement au compte bancaire de son époux, en inspecta soigneusement tous les éléments et découvrit la somme mise de côté. Près de 6 millions. Le moment de vérité approchait.

Les choses importantes d'abord! Il fallait régler, à Briarcliff Manor, quelques détails relatifs à un certain agent d'assurances et à un rapport de laboratoire. Comment Hitchcock aurait-il tiré parti d'un tel scénario? Il aurait fait sacrément sensation avec la scène du cimetière, pensa-t-elle sans pouvoir s'empêcher de sourire.

61

Le Touriste, le pauvre Touriste se sentait nerveux, frustré et en très mauvaise forme. Il y avait au moins une centaine d'endroits où il aurait aimé être à ce moment précis, mais celui où il se trouvait – son logement temporaire, loin de son confort habituel – était le seul lieu qu'il lui était possible d'occuper.

Il ne savait toujours pas à quoi correspondait la liste des comptes bancaires. De toute évidence, leurs titulaires cherchaient à s'exonérer d'impôts. Mais qui étaient-ils ? Quel était le prix d'admission pour figurer sur cette liste ? Et pourquoi celle-ci avait-elle coûté la vie à un homme ?

Ayant déjà épluché le journal et terminé un gros roman de Nelson De Mille qui se déroulait pendant la guerre du Vietnam, il était assis sur le canapé et lisait le dernier numéro d'un magazine de sport. Au milieu d'un article sur une équipe de base-ball de Boston, le silence du salon fut rompu. Quelqu'un frappait à la porte.

Calmement, il prit le Beretta posé à côté de lui et se leva. Il se dirigea vers la fenêtre, et écarta légèrement le store baissé pour jeter un coup d'œil sur le devant du bâtiment. Un type attendait, un carton rectangulaire dans la main. Derrière lui, dans l'allée, se trouvait une Toyota dont il laissait tourner le moteur.

Le dîner est servi, pensa le Touriste en souriant.

Dissimulant le revolver derrière son dos, sous sa chemise, il ouvrit la porte et salua le livreur. Il avait déjà passé plusieurs commandes de pizzas depuis qu'il était installé ici.

— Saucisse-oignons ? demanda le garçon qui avait l'âge d'un étudiant, ou un peu plus.

Difficile de distinguer son visage sous la casquette à longue visière.

— Oui. Combien?

— Seize dollars cinquante.

— Je devrais le savoir, grommela le Touriste.

Il plongea la main dans la poche de son pantalon ; elle ressortit bredouille.

— Attendez une minute, je vais chercher mon portefeuille.

Sur le point de se détourner, il remarqua que le livreur restait planté sous la pluie.

— Pourquoi n'entrez-vous pas? dit-il.

— Merci beaucoup.

Le garçon fit quelques pas à l'intérieur tandis que le Touriste se rendait à la cuisine.

— Ça mouille drôlement, dehors, lança ce dernier par-dessus son épaule.

— Ouais. Mais ça nous vaut plus de commandes.

— Je m'en doute. Pourquoi sortir dîner sous la pluie alors qu'on peut se faire apporter à manger, hein?

Il revint avec un billet de vingt dollars.

— Voilà. Gardez la monnaie.

Le garçon tendit la pizza et prit le billet.

— Merci beaucoup.

Il glissa les doigts dans son imperméable et sourit.

— Mais ça ne fait pas tout à fait le compte.

Le Touriste lança la main derrière son dos mais ne fut pas assez rapide. Son revolver fut largement distancé par celui qui était pointé vers lui.

— Ne bouge pas! dit le livreur.

Il passa derrière le Touriste et le soulagea de son Beretta.

— Maintenant, pose les deux mains sur le mur.

— Qui es-tu?

— Je suis le gars qui va te faire regretter de ne pas avoir commandé un repas chinois, O'Hara.

62

Maudissant son incommensurable stupidité, John O'Hara, le Touriste, s'autorisa à être fouillé. Il ne pouvait croire qu'il avait été refait par ce gamin, ce chiot, ce morveux !

— Tourne-toi lentement.

O'Hara pivota de cent quatre-vingts degrés. Très lentement.

— Où est-elle ? demanda le môme. La valise. Qu'est-ce qu'il y a dedans ? Qu'est-ce que tu as trouvé ?

— Je n'en sais rien. Je te jure.

— Arrête tes conneries, mon vieux.

— Je te dis la vérité. Je m'en suis débarrassé dès que je l'ai eue en main. Un garage à New York.

Le livreur pressa le canon de son revolver sur le front de son prisonnier. Assez fort pour faire mal.

— Alors la conversation est terminée.

— Tu me tues et tu es mort dans les vingt-quatre heures qui suivent. C'est comme ça que ça marche.

— Je ne crois pas, répondit le livreur en tripotant le cran de sécurité.

O'Hara scruta son regard. Ce qu'il y lut ne lui plaisait pas. Froideur et assurance. Ce gars travaillait sûrement pour le vendeur du fichier. Peut-être même était-ce lui ?

— D'accord, du calme. Je sais où elle est.

— Où ?

— Ici. Je ne m'en suis pas séparé.

— Fais voir.

O'Hara le précéda jusqu'à la chambre à coucher. Il entendait le son étouffé de la chaîne stéréo du voisin et envisagea un court instant d'appeler à l'aide.

— Sous le lit, indiqua-t-il. Je vais la prendre, elle est dans mon sac de voyage.

— Tu restes où tu es. C'est moi qui vais regarder.

Il se pencha pour jeter un coup d'œil et aperçut effectivement un sac noir. Il eut un large sourire.

— Tu ne sais pas ce que c'est, hein?

— Qu'est-ce qui te fait dire ça?

— Si tu le savais, tu ne dormirais pas dessus.

— Alors je dois me réjouir de te la rendre?

— Exact. Maintenant, sors-la de là-dessous. Gentiment.

— Quel est ton rôle? Tu es le vendeur ou un intermédiaire?

— Contente-toi de sortir le sac. Je ne suis qu'un intermédiaire. Comme mon copain, le type que tu as tué à la gare. C'était un frère pour moi.

Le Touriste s'agenouilla et étendit lentement les bras sous le sommier.

— Garde une main au-dessus du lit, lui intima le livreur.

— Comme tu veux.

Tandis que la main gauche se posait sur le drap, la droite disparut en direction du sac.

— Tu l'as? demanda le môme. Ne joue pas au con avec moi.

— Ouais, je l'ai. Du calme. On est des pros, non?

— L'un de nous deux l'est, en tout cas.

O'Hara fit pivoter son bras et tira deux coups : les balles s'enfoncèrent dans la poitrine du livreur qui tomba sans vie sur le sol, en même temps que son image reflétée dans le miroir. Le Touriste fouilla le mort à la recherche d'une pièce d'identité et ne fut pas surpris de n'en trouver aucune.

Dans la cuisine, il passa le coup de téléphone réglementaire. Une équipe viendrait chercher le corps et nettoierait les taches sur la moquette. Elle se montrerait très efficace. En attendant, il n'y avait qu'une seule chose à faire.

Il ouvrit la boîte à pizza et attrapa une part de saucisse-oignons. La première bouchée était toujours la meilleure.

En mâchonnant, il fit le tour des questions en suspens, les seules qui comptaient. Qui avait envoyé le livreur ? Qui savait qu'il était ici ? Qui voulait sa peau ?

Comment pouvait-il utiliser cela à son avantage dans le futur ?

Avait-il un futur ?

63

— Alors, quoi de neuf, O'Hara ?

— Oh, rien de bien précis. Je me suis occupé. Et notre petite analyse sur la dépouille de feu Connor Brown ?

— Rien, que dalle, *nada*, dit Susan, déçue.

Après trois jours d'attente dans mon appartement provisoire, elle m'avait appelé en fin de matinée. Le deuxième rapport d'autopsie de Connor Brown venait d'arriver sur son bureau. Les analyses approfondies aboutissaient aux mêmes conclusions. Le gars était mort d'un arrêt cardiaque. Rien de louche. Rien, que dalle, *nada*.

— Aucun détail qui ne soit pas apparu lors de la première autopsie ?

— Non. Un gars qui travaille dans la finance et meurt d'une crise cardiaque à quarante ans, ce n'est pas si surprenant.

— Sans doute. Quoi d'autre ?

— Tu veux dire à part les lésions dues à la chute du cadavre hors de son cercueil ?

— Merde, c'est le gamin du labo qui a vendu la mèche ?

— Non, c'est le policier qui vomissait toujours trois jours plus tard, grâce à toi.

Je souris à l'évocation d'une image sortie de ma base de données personnelle.

— C'était un sale boulot et quelqu'un devait le faire.

— Quelqu'un d'autre que toi, naturellement.

— Le gars refusait de rire à mes plaisanteries.

— Ça explique tout.

— Bon, il est temps de passer un coup de fil à Nora.

— J'y ai pensé. Tu pourrais peut-être essayer de gagner du temps au sujet des résultats, pour voir si elle devient nerveuse ?

— Avec qui que ce soit d'autre, je serais d'accord. Mais pas avec elle. Ça ne ferait que la rendre encore plus méfiante. Elle risquerait de s'enfuir.

— Tu en es sûr ?

— Autant que je puisse l'être. Je crois que la seule chose qui puisse la détendre, c'est qu'elle soit convaincue que tout marche comme sur des roulettes.

— Qu'elle va toucher l'argent, par exemple ?

— Oui. Annonçons-lui qu'elle va devenir plus riche de 1,9 million de dollars.

— Voilà qui me détendrait considérablement.

— Et moi donc !

— Ce qui signifie qu'il va falloir que tu accélères les choses, dit Susan. L'assurer que le chèque arrive par courrier ne te laisse que peu de temps.

— Pas de problème. Elle est bien disposée à l'égard de Craig Reynolds, ce qui devrait se confirmer s'il arrive avec de bonnes nouvelles.

— Souviens-toi d'une seule chose : ce n'est jamais terminé avec elle.

— Tu fais allusion à quoi ?

— En travaillant à faire tomber les défenses de Nora, fais attention de ne pas négliger les tiennes.

64

À l'heure du déjeuner, Susan se rendit dans l'un des restaurants les plus anciens et les meilleurs de Little Italy, situé non loin des bureaux du FBI. Le docteur Donald Marcuse l'attendait dans un box retiré à l'arrière de l'établissement.

— Susan, quel bonheur ! Arriver à vous faire sortir du bureau !

Elle se surprit à sourire. Donald Marcuse avait toujours su que, pour la mettre à l'aise, il fallait avoir recours à l'ironie. C'était un psychiatre médico-légal qui travaillait souvent avec le Bureau, mais qu'elle avait également consulté pendant près de six mois après la rupture de son mariage.

— Votre coiffure vous va à merveille, ajouta-t-il.

Les cheveux coupés à la Jeanne d'Arc, elle s'était récemment fait faire des mèches pour cacher les premiers cheveux gris qui la déprimaient profondément.

— Juste pour info, dit-elle, et bien que je m'en tape complètement, est-ce censé être une remarque sexiste par les temps qui courent ?

Il haussa les épaules.

— Voici ma théorie : si une femme peut le dire, un homme peut le dire aussi. Je ne sais pas si cet argument tient la route.

— Probablement pas. C'est trop logique.

Après avoir commandé leur repas, ils discutèrent des affaires en cours et de la perversité new-yorkaise, jusqu'à ce que Susan regarde sa montre.

— Fini pour aujourd'hui ? dit Marcuse en souriant aimablement. Qu'est-ce qui vous tourmente ?

Susan raconta au psychiatre tout ce qu'elle savait de Nora Sinclair. Elle lui demanda ensuite de combler le plus de lacunes possible, voulant savoir ce qui avait fait de cette femme une meurtrière, et quel genre de meurtrière elle était. Comme d'habitude, elle prit des notes pendant que le psychiatre parlait. Elle les relirait dans son bureau et les partagerait probablement avec O'Hara.

Selon Marcuse, une « veuve noire » tuait systématiquement ses conjoints, ses partenaires sexuels et, à l'occasion, d'autres membres de sa famille. Il existait également des tueuses « pour le profit », qui considéraient l'assassinat comme un commerce, un moyen d'obtenir un bénéfice financier.

— Presque toutes les criminelles tuent pour le profit, affirma-t-il.

Spontanément, il poursuivit son discours. Nora avait probablement l'intime conviction qu'il ne fallait pas faire confiance aux hommes. Elle avait sans doute été elle-même traumatisée. Plus probablement encore, sa mère avait été traumatisée par un ou plusieurs hommes quand Nora était enfant.

— Peut-être a-t-elle été victime d'abus sexuels quand elle était petite ? C'est ce que diraient la plupart de mes confrères. Mais ce genre d'explication trop simple ne me plaît pas.

Il cessa tout à coup de parler de la criminelle et regarda sa compagne.

— Elle vous porte sur les nerfs, n'est-ce pas ? Cela ne vous ressemble pas.

Susan leva les yeux de ses notes.

— Elle est tellement dangereuse, Donald. Je me fous qu'elle ait été victime d'abus sexuels. Elle est jolie, pleine de charme et va continuer à tuer si nous ne l'arrêtons pas.

65

Je ne perdis pas de temps. Dès que j'eus raccroché après ma conversation avec Susan, j'appelai Nora sur son portable. Elle ne répondit pas. Je laissai un message et n'oubliai pas de mentionner que j'avais de bonnes nouvelles pour elle. Ne perdant pas de temps non plus, elle me rappela immédiatement.

— Quelques bonnes nouvelles seraient bienvenues, déclara-t-elle.

— C'est ce que je me suis dit, et c'est pour ça que je vous ai appelée aussitôt.

— Est-ce à propos...

Sa voix se brisa.

— Oui. Le second rapport d'autopsie est arrivé. Bien que je ne sois pas sûr que « bonne nouvelle » soit l'expression qui convienne, vous serez contente d'apprendre que toutes les analyses complémentaires ont confirmé les premières conclusions.

Elle ne dit rien.

— Nora, vous êtes toujours là ?

— Je suis là. Vous avez raison, « bonne nouvelle » n'est pas vraiment l'expression qui convienne.

— « Soulagement » serait-il plus indiqué ?

— Probablement, répondit-elle, au bord du sanglot. Connor peut maintenant reposer en paix.

Elle se mit à pleurer doucement et je dus admettre qu'elle était convaincante. Avec un reniflement, elle s'excusa.

— Pas besoin de vous justifier. Je sais à quel point tout cela a été pénible pour vous.

— C'est juste que je ne peux pas me sortir cette idée de l'esprit. Déterrer un cercueil !

— C'était indéniablement la partie la plus déplaisante de cette affaire, affirmai-je.

— Vous voulez dire que vous y avez assisté ?

La vérité était préférable.

— Hélas, oui.

— Et le responsable de tout ça ?

— Vous parlez de ce parano d'O'Hara, je suppose ? Il est toujours à Chicago. Entre nous, ce n'est pas le genre à se salir les mains. La bonne nouvelle, en tout cas, et je pense que nous pouvons vraiment, cette fois, parler de « bonne nouvelle », c'est que Centennial One va effectuer le versement de 1,9 million.

— Quand, à votre avis ?

— Il y a une procédure à suivre et quelques formalités de routine à remplir. Je pense avoir un chèque pour vous dans une semaine. Ça ira ?

— Parfaitement. Faut-il que je fasse quoi que ce soit dans l'intervalle ? Dois-je fournir quelque chose ?

— Vous devrez signer un reçu quand vous aurez touché l'argent. À part ça, vous n'avez qu'une chose à faire.

— Et quoi donc ?

— Me permettre de vous inviter à déjeuner, Nora. Vu tout ce que je vous ai fait subir, c'est le moins que je puisse faire.

— Ce n'est vraiment pas nécessaire. En fait, ce n'est pas vous qui m'avez fait subir quoi que ce soit. Vous avez été adorable. Je suis sincère, Craig.

— Merci. Et c'est vrai que ça a été désagréable pour moi aussi, répliquai-je en riant. S'il y a un repas que la compagnie nous doive, c'est bien celui-ci.

— Ainsi soit-il, approuva-t-elle, riant également.

Avec légèreté, décontraction et naturel. Le son le plus doux qui soit à mon oreille. Celui de défenses en train de s'effriter.

66

Le téléphone de la maison de Westchester retentit le lendemain, vers 11 heures. Nora décrocha, pensant que c'était Craig
qui appelait pour confirmer l'heure de leur rendez-vous. Elle
se trompait.

— Nora, c'est vous ?

— Oui. Qui est à l'appareil ?

— Elizabeth, dit la voix. Elizabeth Brown.

Nora se sentit aussitôt fautive de ne pas avoir reconnu la
sœur de Connor, qui appelait de Santa Monica. Après tout,
elle était son invitée. Le remords, toutefois, fut éphémère. Le
sentiment de culpabilité d'Elizabeth ne s'était visiblement pas
atténué. Elle n'aurait pu se montrer plus aimable.

— Je me suis fait du souci, déclara-t-elle. Comment allez-vous ?

Nora sourit.

— Merci, je tiens le coup. J'apprécie vraiment votre sollicitude. Vous savez, au début, j'ai beaucoup hésité à rester ici. Je
ne veux pas abuser de votre gentillesse.

— Oh, je vous en prie, ce n'est pas du tout pour cela que
j'appelle. Je n'y pense même pas.

— Vous en êtes bien sûre ?

— Absolument. De toute façon, même si c'était mon intention, je n'aurais pas le temps de m'occuper de la vente de
cette maison.

— J'imagine que vous êtes débordée de travail…

— Oui. Deux des immeubles que j'ai conçus sont en
construction et les fondations d'un troisième sont sur le point
d'être posées.

— Quelle vie palpitante !

— J'aimerais bien que ce soit le cas. Mais je crois que je suis une caricature en matière de travail. C'est pourtant le seul moyen que j'ai trouvé pour ne pas trop penser à Connor.

— Moi aussi. J'ai accepté trois clients de plus le mois dernier, alors que mon emploi du temps était complet.

Elles poursuivirent leur conversation pendant quelques minutes, spontanément, sans gêne ni hésitation, le plus naturellement du monde.

— Vous savez, je trouve que c'est dommage, dit Elizabeth.

— Quoi donc ?

— Que nous nous soyons rencontrées dans de telles circonstances. Nous avons un tas de points communs.

— C'est tout à fait vrai.

— Si vous venez par ici ou si je retourne à New York, nous pourrions nous retrouver pour déjeuner ou pour sortir ?

— Cela me ferait vraiment plaisir, s'exclama Nora. C'est entendu.

Tu peux toujours rêver, Lizzie.

67

Un peu avant midi et demi, je pénétrai dans l'allée de Connor Brown. À mes yeux, c'était toujours sa maison. Avant même d'avoir arrêté la voiture, je vis Nora sortir sur le perron.

Elle était vêtue d'une robe bain de soleil au tissu à fleurs vert et rouge, qui mettait en valeur son bronzage, sans parler de ses jambes. Sautant sur le siège du passager, elle déclara aussitôt qu'elle était affamée.

— Eh bien, nous sommes deux dans ce cas, répliquai-je.

Nous nous dirigeâmes vers un restaurant appelé Le Jardin du Roi [1]. Plutôt haut de gamme sans être extravagant, il mêlait poutres anciennes et nappes blanches avec une relative élégance. Nous prîmes une table pour deux dans le coin le plus retiré de la salle.

La moitié des clients étaient des hommes d'affaires ; l'autre moitié, des copines déjeunant ensemble. Moi, dans mon costume, et Nora dans sa robe d'été n'aurions pas de mal à nous intégrer. Sans le moindre doute, ma compagne était la plus jolie femme du restaurant, comme le confirmaient les visages curieux des hommes en costume.

Un garçon s'avança vers nous.

— Désirez-vous un apéritif ?

Nora se pencha au-dessus de la table.

— Aurez-vous des ennuis si nous prenons du vin ? demanda-t-elle.

— Ça dépend de la quantité, répliquai-je en souriant.

---

1. En français dans le texte. *(N.d.T.)*

Lorsqu'elle me rendit mon sourire, je la rassurai.

— Non, la compagnie ne m'impose aucune règle de ce genre.

— Parfait.

Elle saisit la carte des vins et me la tendit.

— Non, allez-y, dis-je. À vous de choisir.

— Si vous insistez.

— Voulez-vous réfléchir ? demanda le serveur.

— Non, ce ne sera pas nécessaire, dit Nora.

Elle ouvrit la carte et suivit la liste de l'index, qu'elle pointa à mi-hauteur.

— Un châteauneuf-du-pape.

La décision avait été prise en moins de cinq secondes.

— Une femme qui sait ce qu'elle veut, commentai-je à l'intention du garçon qui opina du chef et s'éloigna.

— C'est vrai, en ce qui concerne le vin, admit-elle.

— Je parlais de façon plus générale.

Elle me lança un regard curieux.

— Que voulez-vous dire ?

— Prenons votre carrière, par exemple. Je suis convaincu que vous avez su très jeune que vous seriez décoratrice.

— Faux.

— Vous voulez dire que vous ne passiez pas votre temps à changer les meubles de place dans la maison de Barbie ?

Elle rit. Apparemment, elle ne s'ennuyait pas trop, pour l'instant.

— D'accord, c'est vrai, dit-elle. Et vous ? Avez-vous toujours su ce que vous vouliez faire ?

— Non. Je rêvais d'avoir un stand où je vendrais de la limonade. Je ne connaissais même pas l'existence des polices d'assurance.

— Ça ne m'étonne pas. Ne le prenez pas mal, mais j'ai l'impression que vous étiez sans doute fait pour autre chose.

— Ah oui ? Quel métier devrais-je exercer, selon vous ?

— Je ne sais pas. Quelque chose…

— De plus passionnant ?

— Ce n'est pas ce que je voulais dire.

— Bien sûr que si. Mais ne vous inquiétez pas, je ne me sens pas insulté.

— Heureusement. En fait, vous devriez prendre cette remarque comme un compliment.

Je m'esclaffai.

— Attention à ne pas aller trop loin !

— Mais je suis sérieuse. Vous avez une façon de vous comporter… une sorte de force intérieure. Et vous êtes amusant.

L'arrivée du serveur apportant le vin m'évita d'avoir à répondre. Alors qu'il ouvrait la bouteille, Nora et moi échangeâmes quelques regards en choisissant notre menu. Essayait-elle de flirter, tout comme moi ?

Avec les mimiques d'usage, Nora goûta le châteauneuf-du-pape et donna son accord. Le garçon versa le nectar dans nos verres. Quand il nous laissa, elle proposa de porter un toast.

— À Craig Reynolds, qui s'est montré tellement gentil avec moi tout au long de ce supplice.

Je la remerciai et nous trinquâmes, les yeux dans les yeux. J'étais loin de me douter que le véritable supplice ne faisait que commencer.

68

Les costumes trois pièces étaient partis, les déjeuners de copines terminés. Il ne restait que deux clients au Jardin du Roi : Nora et moi. Nous avions fait honneur au menu – pâté maison, salade de cœurs de palmier, saumon braisé et coquilles Saint-Jacques – en prenant toutefois notre temps. Ne subsistaient sur notre table que les verres contenant les dernières gorgées de vin de notre troisième bouteille de château-neuf-du-pape.

Je n'avais, au départ, aucune intention de consommer la moitié d'une vigne au cours du déjeuner. Mais, dans l'action, le plan fut modifié, puis modifié de nouveau. L'alcool, après tout, n'était-il pas un remarquable sérum de vérité ? Quel meilleur moyen avais-je de découvrir ce que je n'étais pas censé savoir sur Nora ? Plus nous parlions, plus mes chances étaient bonnes. C'est en tout cas l'alibi que je me donnais.

Enfin, je regardai autour de moi et constatai que le personnel préparait les tables pour le dîner. Un serveur passait paresseusement le balai à côté du bar. Je me retournai vers ma compagne.

— Vous savez que la limite entre s'attarder et traîner est très floue ; mais je crois que nous venons de la franchir officiellement.

Elle parcourut la salle des yeux.

— Vous avez raison, dit-elle avec un sourire embarrassé. Partons avant qu'on ne nous balaie avec les miettes de pain.

J'appelai d'un signe notre serveur, visiblement soulagé. Le généreux pourboire de trente pour cent que je lui laissai contribua à dissiper en partie ma culpabilité. Mais pas les vapeurs de l'alcool. Il devait logiquement en être de même pour Nora, qui pesait environ trente kilos de moins que moi.

— Et si nous marchions un peu ? proposai-je en mettant le pied dehors.

Je fus heureux de la voir accepter. Boire pendant le service était une chose ; boire et conduire en était une autre. Un peu d'air frais me remettrait les idées en place.

— Nous allons peut-être apercevoir les Clinton, roucoula Nora. Ils vivent tout près d'ici.

Je décidai de ne pas relever ce propos. Nous déambulâmes sur le trottoir, le long des vitrines. Je m'arrêtai devant celle d'un magasin de broderie.

— Cette boutique me rappelle ma mère, dis-je. Elle adore tricoter.

— Quel genre de choses réalise-t-elle ? demanda Nora, qui témoignait d'une qualité d'écoute remarquable et se montrait moins tournée vers elle-même que je n'aurais pu le supposer.

— Couvre-lits, housses de coussins, pulls, les trucs habituels. Je me souviens d'un Noël, quand j'étais au lycée : elle m'a tricoté deux pulls, un rouge et un bleu.

— C'est adorable.

— Vous ne connaissez pas ma mère, dis-je en levant un doigt. Pour le dîner de Noël, j'arrive avec le pull rouge. Et que me dit-elle ? « Qu'est-ce qui se passe, le pull bleu ne te plaît pas ? »

Nora me donna une bourrade sur l'épaule.

— Vous venez d'inventer ça !

Effectivement.

— Non, je vous assure, affirmai-je.

Nous reprîmes notre promenade.

— Et votre mère ? Aime-t-elle tricoter ?

Nora parut tout à coup très mal à l'aise.

— Ma mère... est morte, il y a quelques années.

— Je suis désolé.

— Ce n'est rien. Elle était formidable.

Nous continuâmes à marcher, mais en silence. Je secouai la tête.

— Vous voyez ce que j'ai fait ?

— Quoi ?

— J'ai réussi à gâcher un moment particulièrement agréable.

— Ne soyez pas idiot, dit Nora, écartant mes protestations d'un geste de la main. Nous passons toujours un excellent moment. En fait, c'est pour moi l'un des meilleurs depuis longtemps. J'en avais besoin.

— Vous dites ça pour me déculpabiliser.

— Non, je le dis parce que c'est grâce à vous que je me sens mieux. Comme vous pouvez l'imaginer, ces dernières semaines ont été horribles. Puis vous avez surgi de nulle part.

— Ouais, sauf que les choses sont devenues encore plus difficiles pour vous.

— Au début, oui, avoua-t-elle. Mais, malgré les apparences, vous vous êtes révélé une bénédiction.

Je m'efforçai de ne pas réagir à l'ironie de ces propos tandis que nous nous arrêtions à une intersection, attendant pour traverser. Le soleil de l'après-midi commençait à plonger derrière les arbres. Nora serra les bras contre sa poitrine avec un léger frisson. Elle semblait particulièrement vulnérable.

— Tenez, dis-je en retirant ma veste pour en envelopper ses épaules.

Alors qu'elle tirait sur les pans de devant, nos doigts se frôlèrent furtivement. Devant nous, le feu passa au rouge, mais nous restâmes parfaitement immobiles, nos regards rivés l'un à l'autre.

— Je ne veux pas que cela se termine, dit-elle.

Puis elle se pencha tout près de moi en baissant la voix.

— Allons dans un endroit tranquille.

69

Je n'avais pas besoin d'être Casanova pour comprendre où elle voulait en venir. « Allons dans un endroit tranquille. » Même un crétin aurait saisi cette allusion peu subtile. Nora ne parlait pas d'aller boire un café pour nous éclaircir les idées. La seule chose qui ne me paraissait pas très claire, c'était comment Johnny O'Hara allait réagir.

Pendant tout le déjeuner, notre complicité croissante, notre flirt, si l'on pouvait le qualifier ainsi, ne m'avait pas gêné. En fait, c'était le but recherché. Mais, tout à coup, les choses étaient devenues un peu trop intimes.

Se pouvait-il qu'elle s'intéresse à moi ? Bien sûr, il ne s'agissait pas vraiment de moi, mais de Craig Reynolds, l'agent d'assurances. Peut-être était-ce l'effet du vin. Ou peut-être quelque chose d'autre, que je n'avais pas vu venir. Un plan qu'elle élaborait. En tout cas, une chose était sûre : elle ne convoitait pas mon argent.

Vendre des contrats d'assurance vie n'était pas habituellement considéré comme une occupation très lucrative. Même les meilleurs des courtiers n'auraient pu rivaliser avec un Connor Brown, gourou de la finance. En outre, Nora avait vu où je vivais en tant que Craig. Elle savait que la BMW et les costumes n'étaient qu'une vitrine. Malgré tout cela, elle avait dit ce qu'elle avait dit.

« Allons dans un endroit tranquille. »

J'étais là, le regard plongé dans ses yeux verts au coin de cette intersection. Ayant le loisir d'emprunter n'importe quelle direction.

— Suivez-moi, dis-je.

Nous retournâmes à ma voiture, toujours garée devant le restaurant. J'ouvris pour elle la porte du passager.

— Où m'emmenez-vous ? demanda-t-elle.

— Vous verrez.

Je fis le tour du véhicule et me mis au volant. Nous attachâmes nos ceintures et je démarrai.

70

Deux ou trois kilomètres avant d'arriver à destination, Nora comprit.

— Vous me raccompagnez chez moi, n'est-ce pas?

Je me tournai vers elle en hochant lentement la tête.

— Je suis désolé.

— Moi aussi, vous avez raison. Ce doit être le vin. Je me sens si confuse!

Le ton de ma voix, mon attitude : je lui donnais l'impression que cette décision était facile à prendre, que le fait d'avoir ce type de relation avec elle ne m'était jamais passé par l'esprit. Si seulement cela avait pu être vrai!

Nora était une femme absolument magnifique qui m'avait fait une offre stupéfiante. Il me fallait un immense effort de volonté pour me rappeler ce qui m'avait amené à ses côtés. En outre, il y avait entre nous une sorte d'alchimie positive, de complicité qui, de sa part, je l'aurais juré, n'était pas feinte. Et, même si c'était le cas, quelle importance, au fond?

Nous parcourûmes en silence le trajet qui nous séparait encore de la maison de Connor. La seule fois où j'avais tourné mes yeux vers elle, je n'avais pu m'empêcher de remarquer que sa jupe remontait sur ses jambes, dévoilant des cuisses bronzées, fuselées, fermes, que j'avais pourtant résolu de dédaigner.

Je parcourus l'allée circulaire et m'arrêtai dans un bruit de gravier. C'est alors qu'elle m'ôta une épine du pied.

— Je comprends, déclara-t-elle. Cela n'aurait pas été une bonne idée. Pas dans ces circonstances.

— Probablement pas.

— Merci pour le déjeuner. J'ai passé un moment merveilleux.

Elle se pencha et posa un baiser léger sur ma joue, effleurant mon visage de ses cheveux. Je respirai son parfum, très agréable, légèrement citronné.

— Je... Hum. Je vous informerai lorsque les papiers relatifs à l'argent de l'assurance seront réglés, d'accord ?

— Entendu, Craig. Vous avez été formidable.

Elle descendit de la voiture et gravit lentement les marches du perron. Pour sortir à jamais de ma vie ? J'attendis qu'elle prenne les clés dans son sac. Je détournai les yeux quelques secondes pour tripoter le bouton de l'autoradio ; lorsque je les relevai, elle essayait toujours d'ouvrir la porte. Je baissai la vitre.

— Tout va bien ?

Elle se tourna vers moi, secouant la tête avec un soupir de frustration.

— Cette maudite clé s'est coincée. C'est de plus en plus embarrassant.

— Attendez.

Je sortis du véhicule pour aller jeter un coup d'œil. La clé était à peine insérée dans la serrure. Et pas du tout coincée. Dès que je la touchai, elle glissa aisément dans le cylindre. Je me retournai et vis Nora tout près de moi.

— Mon héros, dit-elle en pressant son corps contre le mien.

Ses jambes étaient très fermes, sa poitrine très douce. Elle m'enveloppa de ses bras et se mit à embrasser doucement ma lèvre inférieure.

— Je blaguais, je ne pense pas du tout que ce soit une mauvaise idée, susurra-t-elle.

Sur ces mots, mes bas instincts prirent carrément le pas sur ma volonté. Et je rendis à Nora son baiser.

71

Nous tombâmes presque dans le vestibule de la maison. Je refermai la porte d'un coup de pied. *Qu'est-ce que tu fais, O'Hara ?* Il était encore temps de s'arrêter. De s'éloigner. Mais, pour cela, il fallait que je cesse d'embrasser Nora. Et je ne le pouvais pas. Elle était trop douce, trop délicieuse. Son parfum, son corps, ses cheveux m'enchantaient. Ses yeux verts étaient tout près des miens.

Elle me prit la main et la guida sous sa jupe, à l'intérieur de ses cuisses. Sa respiration se ralentit. Lorsque j'atteignis le tissu soyeux de son slip, elle me serra plus fort contre elle, balançant les hanches à mon contact et gémissant. C'était forcément pour de bon, forcément. Pourquoi tricher avec moi ?

Veste, chemise et pantalon tombèrent. Nous interrompîmes notre baiser un quart de seconde, juste le temps de faire glisser la robe de Nora au-dessus de sa tête.

— Baise-moi, dit-elle, légèrement essoufflée.

Comme ça. D'une façon que je trouvai particulièrement excitante, irrésistible.

Elle m'attira vers le sol et se mit à califourchon sur moi. Se débarrassant de son slip, elle prit mon sexe dans sa main et le guida en elle. Même dans le feu de l'action, je saisis l'ironie de la situation. *C'est elle qui te baise, O'Hara.*

La pièce entière tourbillonnait autour de moi. Nous étions dans le vestibule de marbre de la maison de Connor Brown, l'homme auquel elle avait été fiancée, l'homme qu'elle avait peut-être tué. Le fiasco ne pouvait pas être plus complet.

Je me trompais. L'instant suivant, j'entendis une sonnerie près de mes pieds. Il me fallut un moment avant de comprendre ce que c'était. Mon portable. Bon Dieu, Susan ! Son coup de fil habituel. Quel timing !

— Ne t'avise pas de répondre, dit Nora.

Rassure-toi, il n'en est pas question.

La sonnerie s'interrompit alors que nous nous laissions emporter avec une synchronisation stupéfiante. Ses cheveux magnifiques balayaient mon visage. Elle était sur moi ; puis au-dessous ; puis à quatre pattes. La courbe délicate de son dos paraissait démentir ses gémissements rauques qui en réclamaient toujours plus et qui retentirent en même temps que les miens lorsque nous parvînmes ensemble à l'orgasme.

Pendant une minute ou deux au moins, nous nous content-tâmes de fixer le plafond, en silence, essayant de retrouver notre souffle. Finalement, je lui fis un clin d'œil.

— Alors, comme ça, la clé était coincée ?

— Tu t'es bien laissé embobiner !

— Tu crois ?

Nous nous esclaffâmes, comme si c'était la chose la plus drôle qui nous soit jamais arrivée. Nora avait un rire très communicatif quand elle se laissait aller.

— Est-ce que tu as faim ? demanda-t-elle. Un steak ? Ou une omelette ?

— Et en plus, elle cuisine !

— Je prends ça pour un oui. Si tu veux, il y a une douche dans la chambre d'amis, en haut de l'escalier, première à droite.

— Ce serait génial.

Elle roula sur le côté et m'embrassa.

— Rien n'est aussi génial que toi, Craig Reynolds.

72

Je sortis de la douche et frottai le miroir embué avec le dos de la main pour me fixer avec sévérité. Je secouai la tête. Une fois, puis une autre.

Eh bien, cette fois, c'est fait, O'Hara.

Travailler en sous-marin requérait une certaine marge de manœuvre, mais là, j'étais allé un peu trop loin. Si j'avais amplement obéi à l'appel du devoir, ce n'était pas de la façon qui rapporte des médailles. À partir de maintenant, la situation devenait particulièrement épineuse.

— Craig, tout va bien ?

Nora m'appelait du pied de l'escalier. J'ouvris la porte de la salle de bains.

— La douche était extra. J'arrive !

— Bien. Ton omelette va être prête.

Je peignai mes cheveux en arrière, me rhabillai et descendis en bondissant pour rejoindre mon amante dans la cuisine. Elle valait le coup d'œil, simplement vêtue de son soutien-gorge et de son slip, une spatule à la main. Corps spectaculaire et sourire éblouissant. Je remarquai qu'un seul couvert trônait sur la table.

— Tu ne manges rien ?

— Non, j'ai grignoté un peu de jambon.

Elle leva vers moi une bouteille d'eau.

— Et j'ai ce qu'il me faut. Je surveille ma ligne.

— Je l'ai surveillée pour toi. Tu n'as aucune inquiétude à avoir.

Je m'assis et la contemplai face à la cuisinière, la poêle à la main. Elle était aussi belle de dos que de face. Quant à sa ligne…

Calme-toi, O'Hara.

Honnêtement, je n'en étais pas capable. J'éprouvais un sentiment bizarre, qui me rappela aussitôt quelqu'un que j'avais connu. Un flic des narcotiques, un ami. C'était un type bien, un bon policier, jusqu'à ce qu'il commette une erreur fatale. Il avait eu un jour la mauvaise idée de goûter la marchandise et était devenu accro. La leçon était difficile à ignorer. Même après ma douche, j'avais encore l'impression de sentir l'odeur de Nora sur ma peau. Et j'étais habité du désir que j'avais d'elle. Je ne voyais pas comment j'aurais pu m'arrêter.

— Et voilà.

Je regardai la grosse omelette soufflée qu'elle avait posée devant moi.

— Ça a l'air délicieux.

Je pris ma fourchette et en goûtai une bouchée.

— Renversante.

Elle pencha la tête de côté.

— Tu ne me mentirais pas, par hasard?

— Qui, moi?

— Oui, toi, Craig Reynolds.

Se penchant, elle passa les doigts dans mes cheveux.

— Tu veux une bière, ou quelque chose d'autre?

— Plutôt de l'eau.

Mon taux d'alcoolémie n'avait pas besoin d'un petit coup de pouce supplémentaire! Elle prit un verre pendant que je continuais à manger. Pour être sincère, l'omelette était vraiment délicieuse.

— Peux-tu rester cette nuit? demanda Nora en revenant avec de l'eau. Je t'en prie, reste!

La question me surprit plus qu'elle ne l'aurait probablement dû. Je regardai autour de moi, conscient de la demeure où je me trouvais. Je détaillai la cuisine high-tech, parfaite jusqu'au moindre détail.

Nora jeta un coup d'œil en direction du vestibule. Sa robe bain de soleil se trouvait toujours sur le sol de marbre.

— Il est un peu tard pour les états d'âme, tu ne crois pas?

Elle avait raison et je m'apprêtais à le reconnaître, lorsque j'eus soudain une sensation très étrange à l'estomac.

73

— Que se passe-t-il ? demanda Nora.

— Je ne sais pas, dis-je. Tout à coup, je me sens...

L'envie de vomir dans toute la cuisine. Je bondis hors de ma chaise et m'élançai vers les toilettes que j'atteignis *in extremis*. Je tombai à genou et fus secoué par un violent haut-le-cœur. L'omelette fut évacuée, ainsi que quelques vestiges de mon déjeuner.

— Craig, est-ce que ça va ?

Non, ça n'allait pas. J'étais assailli pas un raz de nausée, la tête me lançait et ma vision se brouillait. Tout ce que je pouvais faire, c'était me cramponner à la cuvette en espérant que ça allait passer. Si le flic du cimetière me voyait !

— Craig ? Tu me fais peur.

J'étais trop occupé pour lui répondre.

— Est-ce que je peux faire quelque chose ?

Une peur horrible m'envahissait : et si ça ne passait pas ? Me sentant terriblement mal, faible et terrifié, je n'allais pas tarder à céder à la panique.

— Craig, s'il te plaît, parle-moi !

L'instant d'après, le malaise disparut. Aussi vite qu'il était apparu. Comme ça.

— Je me sens mieux, dis-je, aussi surpris que soulagé. Je sors dans une minute.

Pesamment, je me traînai jusqu'au lavabo, me rinçai la bouche et m'aspergeai le visage d'eau froide. De nouveau, je me fixai dans le miroir. C'était probablement une intoxication alimentaire. Mais je ne pouvais écarter une autre possibilité :

et si c'était purement et simplement une réaction nerveuse à la situation insoluble dans laquelle je m'étais fourré ? Pour être plus clair, l'omelette devait être incompatible avec le précipice béant qui s'était creusé dans mon estomac.

Je retournai vers la cuisine où m'attendait une Nora bouleversée.

— Tu m'as fichu une de ces trouilles ! s'exclama-t-elle.

— Désolé. Je ne sais pas ce qui s'est passé.

Je luttai pour trouver une explication plausible.

— Peut-être l'un des œufs n'était-il pas bon ?

— C'est possible. Oh, je m'en veux ! Tu te sens vraiment mieux ?

J'opinai de la tête.

— Tu es sûr ? Ne joue pas au héros !

— Ça va, je t'assure.

— C'est moi qui me sens coupable. Maintenant, tu vas refuser de manger tout ce que je te préparerai !

— Ne sois pas idiote, ce n'était pas ta faute.

Sa lèvre inférieure s'incurva en une moue. Elle semblait blessée et effrayée. Je m'avançai vers elle et la pris dans mes bras.

— Je t'embrasserais bien mais…

Elle eut un sourire.

— Je pense que je peux te trouver une brosse à dents. Mais à une condition.

— Laquelle ?

— Tu acceptes de passer la nuit ici. Un peu d'enthousiasme, je te prie !

Si elle n'avait pas été vêtue que de son slip et de son soutien-gorge, si je ne l'avais pas tenue dans mes bras à ce moment-là, alors peut-être aurais-je dit non. Peut-être, mais j'en doute.

— À une seule condition.

— Je sais ce que tu vas dire, mais l'idée ne m'en serait même pas venue.

La condition était que nous dormions loin de la chambre à coucher. En fait, nous ne dormîmes pas vraiment. Je me

promis que ce serait la seule et unique nuit. Mais, le lendemain, j'écartai cette idée. Je trouverais bien un moyen de
rester proche de Nora sans que nous soyons intimes. Cependant, au fond de moi, je savais ce qui se passait. Je le sentais
dans tout mon être. J'étais devenu accro.

74

Le lendemain matin, nous fûmes réveillés par le son stri-
dent de la sonnette. Nora fit un bond dans le lit.

— Qui peut venir d'aussi bonne heure ?

Je regardai ma montre.

— Merde !

— Quoi ?

— Il n'est pas si tôt que ça. Il est presque 9 heures et
demie.

Elle m'honora d'un sourire fringant, à la fois candide et
sexy.

— On dirait que nous nous sommes mutuellement épuisés.

— Tu peux rire, je suis supposé être au bureau depuis une
heure !

— Ne t'inquiète pas, je vais te faire un mot.

La sonnette retentit de nouveau, plusieurs fois de suite.

— Qui que ce soit, je vais l'expédier, dit Nora.

Magnifiquement nue, elle sauta hors du lit, se dirigea vers
la fenêtre et jeta un coup d'œil à travers le rideau.

— Flûte, j'avais oublié.

— Oublié quoi ?

— C'est Harriet.

Je ne savais pas qui était Harriet, mais cela n'avait pas d'importance. Tout ce que je savais, c'était que je ne voulais pas
de qui que ce soit à la porte ; pas quand je me trouvais de
l'autre côté.

— Tu peux te débarrasser d'elle ?

— Eh bien, pas vraiment. Elle me rend un grand service.

— Et si elle me voit ici avec toi?

— Ça n'arrivera pas. Je lui ai demandé de faire un devis pour les meubles. Reste là, je vais m'assurer qu'elle n'entre pas dans cette pièce. Ce ne sera pas bien long.

John O'Hara ne voyait pas d'inconvénient à rester; Craig Reynolds, en revanche, avait du boulot.

— Nora, je suis déjà en retard. Il doit bien y avoir un moyen de me faire sortir par-derrière…

— Elle a déjà vu ta voiture. Si elle ne la voit plus en partant, elle va me poser des questions, ce qui ne nous arrangerait pas.

Je pris une profonde inspiration et expirai lentement.

— Elle en a pour combien de temps?

— Pas longtemps, je te l'ai dit.

Elle ouvrit la fenêtre et se pencha.

— Désolée, Harriet, j'arrive! cria-t-elle. Super, ton chapeau!

Faisant volte-face, elle prit son élan et sauta dans le lit près de moi.

— Alors, tu dois aller au travail, hein? dit-elle en glissant la main sous le drap. Je ne crois pas que ce soit une bonne idée.

— Ah bon?

— Absolument pas. À mon avis, tu dois te faire porter pâle pour que nous puissions nous amuser un peu. Qu'en penses-tu?

Ce que j'aurais pu dire n'avait pas d'importance. Les doigts experts de Nora savaient déjà ce que j'en pensais.

— Je pourrais peut-être prendre un jour de congé.

— Voilà ce que j'appelle une attitude positive.

— Qu'allons-nous faire?

Nora jeta un coup d'œil au drap qui me recouvrait.

— On dirait que quelqu'un a envie de camper.

Elle sauta lestement hors du lit.

— Attends, tu ne peux pas me laisser comme ça! protestai-je.

— Il le faut. Harriet m'attend et je dois enfiler quelque chose.

De nouveau, elle regarda le drap, le même sourire fringant sur le visage.

— Ne change surtout pas d'avis, conclut-elle.

75

Les yeux fixés au plafond, je restai au lit, sans changer d'avis. Cette chambre de bonne ou de nourrice était beaucoup plus agréable que la mienne. Je commençai à faire des projets pour le reste de la journée, à penser où nous pourrions aller tous les deux. Et, surtout, à la façon dont j'allais manœuvrer notre relation naissante.

Elle savait indéniablement obtenir ce qu'elle voulait. Mais la vraie question continuait à se poser : était-ce vraiment moi qu'elle voulait ? Et qu'attendais-je de cette situation ? De prouver que Nora était innocente ? Je m'intimai l'ordre de réagir. Ce qui comptait vraiment, c'était de savoir si elle avait quelque chose à voir avec la mort de Connor Brown et avec la disparition de son argent.

Je fermai les yeux. Quelques secondes plus tard, ils s'ouvrirent d'un seul coup. Sautant hors du lit, je me précipitai vers mon costume accroché sur une chaise. Je saisis le téléphone qui sonnait dans la poche de mon pantalon et lus le numéro d'appel pour vérifier ce que je savais déjà. C'était Susan. Je ne pouvais pas lui faire faux bond deux fois. Elle savait que je ne me séparais jamais de mon portable et qu'elle pouvait me joindre n'importe quand.

Reste toi-même, O'Hara.

— Allô ?

— Pourquoi parles-tu tout bas ? demanda-t-elle.

— Je suis à un tournoi de golf.

— Allez ! Où es-tu ?

— Dans la bibliothèque de Briarcliff Manor.

— C'est encore moins vraisemblable.

— Sauf que c'est vrai, assurai-je. Je peaufine mon jargon d'agent d'assurances.

— Pourquoi ?

— Nora m'a posé un tas de questions. Elle est très futée. Je ne sais pas si elle me teste ou si elle est simplement curieuse. De toute façon, il faut que je sois crédible.

— Quand as-tu été en contact avec elle pour la dernière fois ?

Mon intuition me disait que « toute la nuit dernière » n'était pas la meilleure réponse à faire.

— Hier, mentis-je. Craig Reynolds l'a emmenée déjeuner pour se faire pardonner tous les tracas que John O'Hara lui a fait subir.

— Bonne initiative. Tu lui as donc parlé du versement à venir ?

— Oui. Elle semblait soulagée, mais c'est à ce moment-là qu'elle a commencé à me poser des questions.

— Tu crois qu'elle se doute de quelque chose ?

— Avec elle, c'est difficile à dire.

— Il faut que tu la mettes en confiance.

Je déglutis péniblement.

— Tu as raison. Et si Craig Reynolds l'invitait à dîner ?

— Comme pour un rendez-vous galant ?

— Je ne présenterai pas les choses comme ça, son fiancé vient de mourir. Mais oui, comme un rendez-vous galant, en quelque sorte. Tu disais qu'il fallait la mettre en confiance.

— Je ne sais pas…

— Eh bien, moi non plus. Je n'ai pas d'autre idée et plus beaucoup de temps.

— Et si elle refuse ?

Je ris.

— Tu sous-estimes le charme de O'Hara.

— Pas vraiment. C'est lui qui te vaut cette mission, mon pote. Mais, comme tu le dis toi-même, Nora ne semble pas du genre à succomber à un courtier.

Je me mordis la langue.

— Tu vois, j'aurais pensé que tu appréhenderais plutôt qu'elle dise oui, dis-je.

— C'est le cas, crois-moi. Mais je pense que tu n'as pas tout à fait tort. C'est une chance à tenter.

J'étais sur le point de renchérir sur cette déclaration lorsque j'entendis des voix à l'extérieur de la chambre. Nora et Harriet montaient l'escalier en bavardant.

— Qu'y a-t-il?

— Je dois raccrocher, dis-je. Une bibliothécaire me fusille du regard.

— OK, bonne continuation. Mais… sois prudent, O'Hara.

— J'essaierai, mais elle a l'air vraiment féroce.

— Très drôle.

Je raccrochai et me remis à fixer le plafond. Je détestais devoir mentir à Susan, mais je n'avais pas vraiment le choix. Elle se demandait si Nora suspectait quelque chose. Je me posai maintenant la même question à son sujet. Mais se doutait-elle que je mentais? Susan était l'une des personnes les moins faciles à duper que je connaisse. C'était pour ça qu'elle était la chef.

76

Nora revint dans la chambre pleine d'énergie et le sourire aux lèvres. Difficile de lui résister. Elle sauta sur le lit, embrassa ma poitrine, ma joue, mes lèvres et leva les yeux avec une grimace qui aurait gagné mon cœur, même dans les circonstances les plus ordinaires.

— Je t'ai manqué ?

— Terriblement. Comment ça s'est passé avec Harriet ?

— Très bien. Je t'avais dit que ce ne serait pas long. Je sais y faire. Tu ne sais pas à quel point.

— Oui, mais tu n'étais pas coincée dans cette chambre.

— Oh, mon pauvre chéri, me taquina-t-elle. Tu as besoin de prendre l'air. Raison de plus pour ne pas aller travailler aujourd'hui.

— Tu n'aimes pas qu'on te dise non, on dirait ?

— En fait… non.

Je désignai du menton ma veste et mon pantalon.

— OK. Mais tu es sûre que tu veux passer deux jours d'affilée avec un type vêtu de cette façon ?

Elle haussa les épaules.

— Je te les ai enlevés une fois, je peux le faire encore.

Nous nous douchâmes, nous habillâmes et prîmes sa voiture pour faire un tour. La Mercedes.

— Où allons-nous ? dis-je.

Nora enfila ses lunettes de soleil.

— J'ai déjà tout décidé.

Nous filâmes en ville, chez un traiteur de luxe. Je fis naturellement comme si j'y étais déjà venu. Alors que nous entrions dans la boutique, elle me demanda s'il y avait quelque chose que je n'aimais pas, hormis ses omelettes.

— Je ne raffole pas des sardines. À part ça, tu peux y aller.

Elle commanda un petit festin : différents fromages, des poivrons confits, une salade de pâtes, des olives, de la viande séchée et du pain frais. Je proposai de payer mais, brandissant son sac, elle me dit qu'il n'en était pas question. Nous nous arrêtâmes ensuite dans un magasin de vins et spiritueux.

— Et si on prenait du blanc, aujourd'hui ? J'ai un faible pour le pinot Grigio, dit-elle.

Parmi les bouteilles déjà réfrigérées, elle en choisit une de tieffenbruner. Nous étions parés pour notre pique-nique. Nous le fûmes encore plus quand Nora me désigna la couverture de cachemire rangée dans le coffre. Elle l'y avait mise pendant que je prenais ma douche.

Au bord du lac Pocantico, nous trouvâmes un carré d'herbe qui nous offrait un peu d'intimité ainsi qu'une vue splendide sur le paysage de vallées et de collines du domaine Rockefeller.

— Est-ce que ce n'est pas mieux que d'aller travailler ? demanda Nora une fois que nous fûmes installés.

Mais j'étais au travail. Alors que nous bavardions en savourant notre repas, je faisais appel à toute ma subtilité pour déceler le moindre détail susceptible de révéler l'implication de Nora dans la mort de Connor Brown. Et dans le transfert de son argent, qui était à l'origine de l'enquête.

Tentant d'évaluer ses talents en informatique, je fis allusion en passant aux *firewalls*[1] érigés dans un nouveau programme en réseau que j'utilisais au bureau. Lorsqu'elle hocha la tête d'un air entendu, j'ajoutai :

— Dire qu'il y a un an seulement, je pensais qu'un *firewall* avait quelque chose à voir avec de l'amiante !

— Moi aussi. J'ai appris ce que c'était par un de mes clients qui est dans le business Internet.

---

1. *Firewall* : littéralement, mur coupe-feu ou pare-feu. Dispositif protégeant un ordinateur des diverses intrusions provenant d'Internet. *(N.d.T.)*

— Un de ces millionnaires du Web? Mais qu'est-ce qu'il font avec tout cet argent?

Nora me fit une autre grimace.

— Heureusement pour moi, beaucoup de re-décoration. Tu ne peux pas t'imaginer à quelle échelle.

— Sûrement pas. Mais j'ai une petite idée des impôts qu'ils payent.

— Et ils savent ce qu'il faut faire pour en payer le moins possible.

— Tu veux dire qu'il ont recours à des échappatoires?

Elle me regarda un moment.

— Oui, à des échappatoires.

Son regard trahissait une hésitation virant à la suspicion. Je fis aussitôt marche arrière. Et, pendant le reste de l'après-midi, je ne pris aucun risque. Je me mis, sans trop de difficulté, dans la peau du type qui prend une journée de congé inattendue avec une femme superbe dont il n'arrive pas à se rassasier.

77

Rentre chez toi, O'Hara, espèce de crétin !

Mais je ne m'enfuis pas. Après le pique-nique, nous allâmes au cinéma à Pleasantville. C'était une autre idée de Nora. Nous assistâmes à une projection de *Fenêtre sur cour*, l'un de ses films préférés.

— J'adore Hitchcock. Tu sais pourquoi, Craig ? Parce qu'il réussit à être drôle tout en décrivant le côté sombre de la vie. C'est comme avoir deux films pour le prix d'un.

Lorsque la séance se termina, nous avions tellement ingurgité de pop-corn que nous décidâmes de sauter le dîner. J'étais dans le parking, debout près de ma petite amie, comme si nous sortions du lycée et que nous ne sachions pas comment mettre fin à notre soirée. Ce n'était pas le cas de Nora.

— Allons chez toi, proposa-t-elle.

Je la considérai un moment, me concentrant sur son expression. Elle avait déjà vu l'immeuble décrépit qui abritait mon chez-moi. Me défiait-elle pour voir comment je réagirais ? Ou se moquait-elle vraiment de la façon dont je vivais ?

— Chez moi, vraiment ?

— Tu es d'accord ?

— Bien sûr. Mais je te préviens que ce n'est pas forcément ce que tu t'attends à voir.

— Comment le sais-tu ?

— Disons que ce n'est pas tout à fait ce à quoi tu es habituée.

Nora plongea son regard dans le mien.

— Craig. Tu me plais, c'est tout ce qui compte. Toi et moi.

Je ne sus qu'acquiescer.

— Bon.

— Est-ce que je peux te faire confiance ? C'est mon souhait le plus cher, tu sais, dit-elle.

— Évidemment ! Ne suis-je pas ton agent d'assurances personnel ?

Sur ces paroles, nous nous mîmes en route. Nora n'eut pas un clignement de paupières lorsque nous arrivâmes – et pour cause. La main dans la main, nous pénétrâmes dans l'appartement.

— Je dois souligner que la bonne est en grève, dis-je avec un sourire. Elle se plaint de conditions de travail insupportables.

Nora parcourut des yeux le désordre au sein duquel je vivais.

— Ça m'est égal, conclut-elle. J'en déduis que tu ne fréquentes personne d'autre. C'est loin de me déplaire.

Je lui offris une bière qu'elle accepta. En la lui tendant dans la cuisine, je pris soin d'ironiser sur le formica jaune avant qu'elle ne le fasse. Elle avala une gorgée de liquide, et posa son sac de cuir rouge sur la table.

— Alors, tu ne me fais pas visiter ?

— Tu as vu l'essentiel, rétorquai-je.

— Tu as une chambre à coucher, non ?

Je me disais qu'il fallait mettre fin à tout ça, et tout de suite. Bien sûr, si telle avait été vraiment mon intention, nous ne nous serions pas retrouvés debout, face à face, dans ma cuisine. J'aurais pris mes dispositions au cinéma, en prétendant par exemple « ne pas vouloir aller trop vite ».

Au lieu de cela, nous nous embrassions déjà en nous dirigeant vers la chambre. J'étais de nouveau sur le point d'aller sous les draps avec Nora. En donnant un nouveau sens à l'expression « travailler sous couverture ». Mais j'avais toutefois prévu de tourner les choses à mon avantage. Et je savais par quoi commencer.

78

— Comment as-tu pu fouiller dans son sac sans qu'elle s'en aperçoive? demanda Susan.

Eh bien tu vois, boss, après l'avoir baisée comme un fou dans ma garçonnière, j'ai attendu qu'elle s'endorme. Puis je me suis faufilé dans la cuisine et j'ai fouillé dans son sac.

— J'ai mes petits secrets, dis-je. N'est-ce pas pour ça que tu m'as choisi?

— Disons seulement que tu as eu de bons résultats jusqu'ici, O'Hara. Et que tu étais disponible.

J'étais assis, les pieds sur le bureau, effectuant un rapport téléphonique au sujet de mon dîner avec Nora. Susan craignait que j'en fasse un peu trop et que j'effraie la proie. Sacrée Susan! Une fois que je l'eus assurée du contraire, son attention se reporta sur ce que j'avais trouvé dans le sac.

— Quel est le nom de l'avocat déjà?

— Steven A. Keppler.

— Et il exerce à New York?

— C'est ce que dit sa carte.

— Quand peux-tu aller le voir?

— C'est une bonne question. J'ai appelé son bureau; il est en vacances jusqu'à la semaine prochaine.

— Si ça se trouve, il ne sait rien.

— Ou il sait tout. Je suis un optimiste, tu le sais bien.

— Il va brandir l'argument du secret professionnel, si Nora est une de ses clientes.

— Sûrement.

— Qu'est-ce que tu vas faire dans ce cas?

— Comme je te l'ai dit, j'ai mes petits secrets.

— C'est ce qui me fait peur. Il faut être prudent avec les hommes de loi. Crois-le ou non, certains d'entre eux connaissent le droit.

— Quel monde étrange !

— Tu me tiens au courant. Tu dois absolument me tenir au courant.

— Je le fais toujours.

Après avoir raccroché, je reculai ma chaise et respirai profondément. Non seulement je ne tenais pas en place, mais je ne me sentais pas dans mon assiette. Mon ordinateur affichait un écran de veille ; je posai le talon sur la barre d'espace et le moniteur s'alluma. Je me rassis alors correctement et ouvris le fichier que j'avais sur Nora, passant en revue les photos que j'avais prises avec l'appareil numérique, après les funérailles de Connor. Je m'arrêtai sur la dernière afin de l'étudier.

C'était le cliché qui la représentait en train de parler sur le perron avec la sœur de Connor. Elle était vêtue de noir et arborait la même paire de lunettes que celle qu'elle avait portée lors de notre pique-nique. Elizabeth Brown paraissait presque aussi jolie qu'elle ; d'après mes notes, elle était architecte.

Je me penchai et scrutai la photo. En apparence, elle ne présentait rien d'anormal. Mais tout était là. Illusion contre réalité. Ou bien Nora n'avait rien à cacher… ou elle avait trompé tout le monde. La police, les amis, Elizabeth Brown. Bon Dieu ! Se pouvait-il vraiment qu'elle soit là, en train de parler tranquillement à la sœur d'un homme qu'elle venait de tuer ? Avait-elle un tel pouvoir de persuasion ? Une telle duplicité ? C'était le fait de ne rien pouvoir affirmer à son sujet, même maintenant, qui entretenait une telle suspicion.

Une seule chose était sûre : je mourais d'impatience de la revoir.

Je fermai le fichier, me disant que je déraillais. Il fallait que j'agisse. Je me tenais beaucoup trop près des flammes et la chaleur devenait réellement menaçante. Je devais m'échapper, me calmer. Au moins pour quelques jours.

210

C'est alors que j'eus une idée, qui m'offrait peut-être le moyen de retrouver mes vraies priorités. Je rappelai Susan et lui dis ce que je voulais faire.

— Il me faut deux jours de congé.

79

Le mercredi après-midi, Nora sortit de l'ascenseur au septième étage du Centre psychiatrique de Pine Woods. Elle avala la dernière gorgée de la bouteille d'eau qu'elle tenait à la main et dont elle se débarrassa aussitôt, en la lançant dans une poubelle. Comme elle le faisait toujours, elle se dirigea d'abord vers le bureau des infirmières. Il était vide. Pas d'Emily ni de Patsy. Personne.

— Il y a quelqu'un ? appela-t-elle.

Pas de réponse, juste l'écho de sa propre voix. Elle hésita un moment avant de poursuivre son chemin. Depuis le temps qu'elle venait, elle n'avait plus vraiment besoin de signer le registre.

— Bonjour, maman.

Olivia Sinclair se tourna vers la jeune femme qui se dressait sur le seuil.

— Bonjour, répondit-elle.

Nora l'embrassa sur la joue et approcha une chaise du lit.

— Comment te sens-tu ?

— J'aime bien lire, vous savez.

— C'est vrai.

Elle posa son sac sur le sol, y plongea la main et en sortit le dernier roman de Patricia Cornwell.

— Regarde, je ne t'ai pas oubliée, cette fois.

Olivia Sinclair prit le volume et le caressa doucement de la paume de la main. Puis elle suivit de l'index les lettres frappées du titre.

— Tu as l'air d'aller beaucoup mieux, maman. Est-ce que tu te rends compte à quel point tu m'as fait peur la dernière fois ?

Elle vit que le regard de sa mère restait fixé sur la couverture brillante du livre. Il était clair qu'elle ne se rendait compte de rien. Les murs qu'elle avait dressés autour d'elle étaient trop épais.

Mais cet état de choses, qui avait été source de souffrance pour Nora à chacune de ses visites, était maintenant source de soulagement. Elle s'était tourmentée à l'idée d'être responsable de la crise, pensant que ses larmes, ses émotions, cette propension soudaine à avouer ses péchés avaient provoqué cette réaction. Plus elle y avait réfléchi, plus elle avait été convaincue que c'était ce qui s'était produit.

Maintenant, elle était persuadée du contraire. En voyant sa mère si retirée, si peu consciente, elle comprenait qu'elle n'avait en rien influé sur le comportement de la malade. Paradoxalement, l'idée de détenir un peu de ce pouvoir lui aurait donné un vague espoir.

— Je pense que tu vas aimer ce roman. C'est une enquête de Kay Scarpetta. Tu me diras s'il t'a plu la prochaine fois, d'accord?

— J'aime bien lire, vous savez.

Nora sourit. Elle veilla à ne parler que de choses positives et amusantes. De temps en temps, Olivia levait les yeux sur elle mais, le plus souvent, elle fixait l'écran éteint de la télévision.

— Bon. Je crois que je ne vais pas tarder à partir, dit la jeune femme au bout d'une heure.

Elle regarda sa mère prendre le gobelet de plastique sur la table de nuit. Il était vide.

— Tu veux un peu d'eau?

Olivia acquiesça tandis que sa fille se levait pour prendre le pichet.

— Oh, il est vide aussi!

Nora se dirigea vers la salle de bains.

— Je reviens tout de suite.

Sa mère hocha de nouveau la tête. Puis elle attendit. Dès que le bruit du robinet lui parvint, elle glissa la main sous le drap de son lit et y prit la lettre qu'elle avait rédigée. Le moment était venu de dire la vérité.

Elle posa ses pieds nus sur le sol et tendit la feuille de papier pliée vers le sac ouvert de la visiteuse. Desserrant les doigts, elle la laissa tomber à l'intérieur. Après tant d'années, c'était aussi simple que de lâcher prise.

80

— Ah, mais vous êtes là !

Emily Barrows, surprise, leva les yeux vers Nora qui se dressait devant elle, aussi ravissante que d'habitude. Elle ne l'avait pas entendue approcher car elle était totalement accaparée par sa lecture.

— Oh, bonjour !

— Je ne vous ai pas vue en arrivant.

— Désolée, mon petit, je devais être aux toilettes. Il n'y a que moi cet après-midi.

— Qu'est-il arrivé à votre collègue, celle que vous formez ?

— Patsy ? Elle est malade.

La surveillante désigna le livre ouvert devant elle.

— Heureusement, c'est plutôt calme aujourd'hui.

— Que lisez-vous ?

Emily souleva le volume pour montrer la couverture. *Le Temps de la pitié*, par Jeffrey Walker. Nora sourit.

— C'est un bon auteur.

— Le meilleur !

— Et pas désagréable à regarder, n'est-ce pas ?

— Si vous aimez le genre baroudeur, certainement.

L'infirmière regarda son interlocutrice s'esclaffer. Ce n'était plus la femme tendue et dure de la dernière fois. En fait, jamais elle ne s'était montrée d'aussi bonne humeur.

— Votre visite s'est bien passée, apparemment !

— Tout à fait. Elle a été meilleure que la dernière fois, en tout cas.

Nora fit glisser une mèche de cheveux derrière ses oreilles.

— À ce sujet, dit-elle, je voulais vous demander de m'excuser pour mon comportement. J'étais bouleversée. Mais vous, vous avez pris les choses avec un calme remarquable. Vous avez été formidable. Merci du fond du cœur, Emily.

— Je vous en prie, c'est pour ça que je suis là.

— Eh bien, je suis ravie que vous ayez été là ce jour-là ! Elle regarda le livre de l'infirmière.

— Écoutez, quand le prochain roman sortira, je vous en offrirai un exemplaire dédicacé.

— Vraiment ?

— Mais oui. Il se trouve que je connais Jeffrey Walker. J'ai travaillé avec lui.

Un sourire radieux illuminait le visage d'Emily.

— Oh, j'en serais ravie ! Je n'ose pas y croire !

— C'est le moins que je puisse faire. Sinon, à quoi serviraient les amis ?

Figure de discours ou non, la surveillante trouva cette déclaration particulièrement aimable. Nora prit finalement congé et se dirigea vers les ascenseurs.

Lorsque l'infirmière la vit appuyer sur le bouton d'appel, elle retourna à son livre et ne releva les yeux qu'en entendant se refermer les portes de métal. C'est alors qu'elle le vit. Le sac de la jeune femme était resté sur le comptoir.

Emily pensait que l'étourdie s'apercevrait de son oubli en arrivant dans le hall. Elle appela néanmoins la sécurité. Dès qu'elle eut raccroché le téléphone, elle reprit sa lecture. Mais, avant d'avoir fini la première phrase, ses yeux se tournèrent de nouveau vers le sac élégant et raffiné. Il était ouvert.

81

Elaine et Alison en croyaient à peine leurs oreilles. Elles n'étaient pas habituées à entendre Nora discourir à propos d'un homme ; pas depuis que son mari, Tom, était mort brusquement.

C'était pourtant ce qui se produisait, alors qu'elles dînaient à SoHo, dans un restaurant aux murs de briques apparentes. En fait, même le mot « discourir » paraissait un euphémisme. Elle déversait sur ses compagnes un flot de paroles intarissable, ce qui ne lui ressemblait pas.

— Il y a en lui une énergie contenue, une assurance que j'adore. C'est quelqu'un de très simple et de très original à la fois.

— Eh bien ! Qui se serait douté que les agents d'assurances pouvaient être aussi séduisants ! plaisanta Elaine.

— Sûrement pas moi, admit la jeune femme. Mais Craig… Ce métier ne lui va pas.

— Passons aux choses importantes. Comment s'habille-t-il ? s'enquit Alison.

— En costume, col ouvert, rien de guindé. Je ne crois pas l'avoir déjà vu en cravate.

— Bon, ce sont des détails, intervint Elaine, écartant ces propos futiles d'un geste de la main. Comment se comporte-t-il au lit ?

— Elaine ! protesta Alison en levant les yeux au ciel.

— Quoi ? On se dit tout !

— Oui, mais ils viennent de se rencontrer. Tu ne sais même pas s'ils ont déjà couché ensemble !

— Eh bien si ! déclara Nora.

Ses deux compagnes se penchèrent vers elle.

— Alors ? s'écrièrent-elles à l'unisson.

Maîtrisant parfaitement la situation, leur amie savoura une gorgée de son Cosmopolitan.

— Pas mal… Non, je plaisante, c'était fantastique !

Toutes trois gloussèrent comme des collégiennes.

— Je suis verte de jalousie, décréta Elaine.

Nora retrouva tout à coup son sérieux, ce qui la surprit elle-même.

— Je ne me sens plus seule quand je suis avec lui. Je n'ai pas éprouvé cela depuis longtemps. Je pense… je pense que nous nous ressemblons beaucoup.

Elaine se tourna vers Alison.

— Nous ne devons pas hanter les bons endroits. Dans une ville qui contient un million de célibataires, elle va dégoter Superman au fin fond de la banlieue.

— Tu ne nous as d'ailleurs pas dit ce qui t'avait amenée dans cet endroit, remarqua Alison.

— J'ai un client à Briarcliff Manor. Je me trouvais dans un magasin d'antiquités et il était là, à la recherche de cannes à pêche anciennes pour sa collection.

— Et on connaît la suite.

— Elle l'a attrapé à l'hameçon ! Je le répète, je suis verte de jalousie !

En réalité, l'avocate était très heureuse. Nora, qui ne semblait pas trouver beaucoup de goût à la vie, avait enfin rencontré quelqu'un.

— Alors, tu nous le présentes quand ? demanda Alison.

— Oui, renchérit Elaine. Quand verrons-nous Superman ?

82

Nora rentra chez elle avec la tête remplie de Craig. Toute cette conversation à propos de leur relation lui avait donné envie d'être avec lui. Mais elle devrait se contenter d'écouter sa voix. Après s'être déshabillée et mise en pyjama, elle grimpa dans son lit et composa le numéro. La sonnerie retentit cinq fois avant qu'il ne décroche.

— Je te réveille?

— Pas du tout, dit-il. J'étais dans l'autre pièce, en train de lire.

— Quelque chose de bien?

— Malheureusement, non. C'est pour le boulot.

— Ça semble ennuyeux.

— Ça l'est. Ce qui me rend encore plus heureux que tu aies appelé.

— Est-ce que je te manque?

— Plus que tu ne peux le croire.

— Idem pour moi, avoua-t-elle. Je voudrais être avec toi. Mon petit doigt me dit que tu ne serais pas en train de lire.

— Ah bon? Et que serais-je en train de faire?

— Tu me serrerais dans tes bras.

— Quoi d'autre?

Nora respira bruyamment.

— Tu m'embrasserais.

— Où?

— Sur la bouche.

— Avec la langue ou non?

— D'abord sans, puis avec.

— Où sont mes mains ?

— À différents endroits intéressants.

— Où exactement ?

— Sur mes seins, pour commencer.

— Mmmm. Un bon début, si je me souviens bien. Et puis ?

— Sur l'intérieur de mes cuisses.

— Oh, ça me plaît.

— Attends, elles se déplacent lentement vers le haut. Tout doucement. Tu me caresses.

— Ça me plaît encore plus.

Nora mordit sa lèvre inférieure.

— À moi aussi.

— Est-ce que tu me sens ?

— Oui.

— Est-ce que je suis à l'intérieur de toi ?

Clic.

— Qu'est-ce que c'était ? demanda-t-il.

— Merde, c'est l'autre ligne.

— Ignore-la.

Nora regarda d'où venait l'appel.

— Je ne peux pas, c'est une de mes amies.

— Ah, voilà qui devient intéressant, s'écria-t-il en riant.

— Très drôle. Attends une seconde. J'ai dîné avec elle ce soir. Si je ne réponds pas, elle va s'inquiéter.

Elle se brancha sur l'autre ligne.

— Elaine ?

— Tu ne dormais pas encore ?

— Non, je suis tout à fait éveillée.

— Tu as l'air essoufflée.

— Je suis sur l'autre ligne.

— Ne me dis pas… Craig ?

— Oui.

— Et je tombe en plein milieu de l'action ?

— Ce n'est pas grave.

— C'est l'inconvénient du signal d'appel ! Je suis désolée.

— Ne t'en fais pas.

— Je voulais simplement te dire à quel point j'étais heureuse pour toi, ma chérie. Maintenant, je te laisse à tes affaires.

— Merci bien.

— Si tu savais comme je suis jalouse !

Clic.

— Tu es toujours là ? demanda Nora.

— Je suis toujours là, dit-il.

— Où en étions-nous ?

— Nous en étions au point où je risquais de ne plus être capable de dormir.

— Moi non plus. Demain, je viens pour du concret.

Seul le silence lui répondit. À quoi pensait-il ?

— Demain, je ne peux pas, déclara-t-il enfin.

— Pourquoi ?

— Je dois assister à ce truc, au siège, à Chicago. En fait, c'est pour m'y préparer que je lisais.

— Quel truc ? Tu ne peux pas oublier d'y aller ?

— *A priori* si, c'est un séminaire. Le problème, c'est que je suis l'un des intervenants.

— Pfff, fit-elle, à bout d'arguments.

— Je reviens dans quelques jours.

— Tu m'appelleras de Chicago ?

— Bien sûr. Nous pourrons peut-être reprendre notre échange là où nous l'avons interrompu ?

— Peut-être, si tu es sage.

— Oh, je serai sage ! dit-il. Ne t'inquiète pas pour moi.

83

Mais Nora s'inquiéta.

Toute la nuit, en fait. Elle avait dit qu'elle n'arriverait pas à dormir et ce fut le cas. Ce qu'elle voulait, ce à quoi elle aspirait, c'était savoir si Craig lui avait dit la vérité. Cette façon qu'il avait eue de parler de son séminaire… Elle retrouvait la sensation de doute qu'elle avait éprouvée lors de leur première rencontre. Quelque chose ne collait pas.

Le lendemain matin, elle se réveilla à l'aube. Ni douche ni maquillage, pas de temps à perdre. Ayant revêtu un vieux sweat-shirt et planté sur sa tête une casquette de base-ball, la visière bien inclinée sur le front, elle se dirigea vers Westchester et sa première étape : la demeure de Connor.

Là, elle échangea son cabriolet rouge contre l'une des deux autres voitures qui prenaient la poussière dans le garage. Une Jaguar verte. Vingt minutes plus tard, elle était garée devant l'appartement de Craig, sirotant du café chaud, l'œil aux aguets.

Le première fois qu'elle l'avait suivi, elle n'avait pas su à quoi s'attendre. Cette fois, c'était différent, il lui avait dit qu'il prenait l'avion à midi.

La porte écaillée de l'immeuble s'ouvrit et il apparut. T-shirt jaune vif, veste de sport beige… Belle allure, indéniablement. Il était 10 heures, ce qui lui laissait le temps de se rendre à l'aéroport. Et il portait une valise. Elle se sentit soulagée.

Il monta dans sa voiture. Ses cheveux coiffés en arrière, encore humides, révélaient qu'il venait de prendre une douche. Sa séduction paraissait si naturelle ! Il lui manquait déjà, alors qu'il n'avait pas encore quitté la ville.

Sortant de l'allée en marche arrière, il orienta l'avant de la BMW en direction de Nora. Elle se tassa précipitamment sur le siège et attendit qu'il soit passé. La Jaguar verte n'était pour lui qu'une voiture parmi d'autres, garées le long du trottoir. Elle avait l'intention de le suivre pendant quelques kilomètres afin de s'assurer qu'il se dirigeait vers l'aéroport. Alors, tout irait bien. Plus que bien. Il appellerait ce soir de Chicago et elle lui avouerait qu'elle se languissait, ce qui ne serait pas difficile à faire. Peut-être lui proposerait-elle de nouveau un orgasme téléphonique. Cette pensée la fit sourire. Elle se demanda ce qui lui arrivait.

Tandis que Craig se dirigeait vers le sud-est, elle put garder une centaine de mètres de distance car elle connaissait bien la route. En chemin, elle se réprimanda mentalement. « Mieux vaut un peu de parano que des regrets cuisants ! » Cela avait beau être un de ses dictons favoris, cette fois, elle dépassait sans doute un peu les limites.

Mais, tout à coup, il mit le clignotant.

84

Il y avait plusieurs chemins pour se rendre à l'aéroport de Westchester mais, malheureusement, celui que Craig empruntait n'en faisait pas partie. La route ne pouvait même pas être considérée comme buissonnière. Lorsqu'il mit son clignotant et bifurqua, Nora sut aussitôt qu'il avait une autre destination en tête.

Elle ne voulait pas tirer de conclusions trop hâtives. Mieux valait rester optimiste : il existait de pieux mensonges, après tout. Peut-être lui préparait-il une surprise ?

Quelques kilomètres plus tard, lorsqu'elle vit qu'ils approchaient de Greenwich, dans le Connecticut, elle pensa que sa bijouterie préférée s'y trouvait. Elle se représenta la scène : Craig lui présentant un petit écrin avec un salut et lui disant qu'il avait inventé le voyage à Chicago pour la surprendre avec un cadeau. Un petit mensonge tout à fait inoffensif. Mais ils laissèrent Greenwich derrière eux.

Ainsi qu'une grande partie des espoirs de Nora. Elle ne voulait toujours pas tirer de conclusions hâtives, mais elle n'allait pas tarder à céder aux émotions mêlées qui menaçaient de l'envahir, colère et humiliation en tête.

C'est alors que Craig pénétra dans Riverside. La façon dont il conduisait révélait qu'il connaissait bien les lieux. Étrange. Finalement, il bifurqua dans une voie sans issue. Nora resta à l'entrée de l'impasse et regarda autour d'elle. Les maisons, quoique peu imposantes, étaient bien entretenues. Beaucoup plus agréables que l'appartement de Westchester.

À mi-hauteur de la rue, la BMW pénétra dans une allée au coin de laquelle se dressait une boîte aux lettres rouge et qui menait à une construction de style colonial aux volets vert foncé. Nora ne la quitta pas du regard et plissa les paupières tandis que le conducteur descendait de voiture.

Il s'étira et gravit lestement les marches du perron. Avant qu'il ait pu frapper, la porte s'ouvrit brusquement et deux petits garçons lui sautèrent au cou. Il les serra dans ses bras et les embrassa d'une façon qui élimina instantanément toute possibilité qu'il soit un oncle, un cousin ou un parrain d'adoption. Craig Reynolds était indubitablement le père de ces bambins. Cela signifiait-il qu'il était... marié ?

Elle aperçut quelqu'un d'autre sur le seuil. Le cœur battant à tout rompre, elle était au bord de la nausée. Mais, au premier coup d'œil, elle comprit qu'il ne pouvait s'agir de Mme Craig Reynolds. À moins que ce dernier n'ait du goût pour les grand-mères de type étranger. Cette femme avait tout de l'aide maternelle. Il était marié.

Nora rejeta la tête en arrière et poussa une bordée de jurons.

— Espèce de sale enculé de putain de menteur !

Voyant Craig faire entrer les enfants à l'intérieur du bâtiment dont elle n'arrivait pas à détacher les yeux, elle s'efforça de mettre un peu d'ordre dans tous ces éléments nouveaux. C'était incompréhensible : pourquoi avait-il un appartement à Westchester s'il vivait ici ?

À peine eut-elle le temps de se formuler la question que la porte s'ouvrit de nouveau. Craig et ses fils sortirent en riant et en échangeant des bourrades. Les garçons avaient un sac à dos et leur père portait un sac de voyage. Tous trois s'engouffrèrent dans la BMW. Ils partaient. Pour où ?

Nora se souvint qu'elle se trouvait à l'entrée d'une impasse et recula, voulant éviter que son amant ne passe pour la seconde fois de la matinée devant une Jaguar verte.

Elle alla se garer dans une rue parallèle et resta immobile un moment, se demandant ce qu'elle allait faire. Peu importait l'endroit où Craig emmenait ses enfants. Ce n'était toujours pas au séminaire de Chicago dont il était l'un des intervenants.

Elle décida de rentrer à Westchester et de récupérer sa voiture. Il allait l'appeler dans la soirée, ce qui risquait d'être particulièrement intéressant. Mais, avant de reprendre la route, elle ne pouvait résister au désir de contempler à nouveau la jolie petite maison de banlieue. De plus près. C'était presque comme si elle ne pouvait croire ce qu'elle venait de voir. Craig avait un culot inimaginable ! En fait, il lui ressemblait plus qu'elle ne l'aurait espéré. Peut-être était-ce pour cela qu'ils se plaisaient tant ?

Elle pénétra dans l'impasse et s'approcha lentement de l'allée. Brusquement, elle écrasa les freins, incrédule. Sur le côté de la boîte aux lettres rouge figurait un nom peint au pochoir, dont les lettres à demi effacées étaient toutefois encore lisibles. O'Hara.

85

En proie à un violent sentiment de trahison, Nora conduisit comme une folle jusqu'à Westchester. Le cerveau enfiévré, elle bouillonnait de rage.

Les questions sans réponse affluaient, laissant pressentir un danger. Pourquoi toute cette mascarade ? Y avait-il vraiment une police d'assurance ? Et leur relation intime, faisait-elle partie du plan ? La seule chose dont elle était certaine, c'était qu'elle avait été dupée par un expert en mensonge.

Tu te rends compte, ma vieille ? Dupée par un pro !

Une fois rentrée dans la maison de Briarcliff Manor, elle donna libre cours à sa fureur. Elle renversa une table, taillada un tableau et lança un vase en cristal de Baccarat contre le mur, éparpillant ainsi des morceaux dans toute la pièce. Puis elle s'abîma dans l'alcool.

Après avoir avalé plus de la moitié d'une bouteille de vodka, elle marmonna sans arrêt jusqu'à ce que sa bouche devienne pâteuse. Pour se venger, elle se vengerait, mais il faudrait attendre un peu pour dresser des plans. Au milieu de l'après-midi, elle s'effondra sur le canapé, ivre morte.

Le lendemain matin, elle accueillit la gueule de bois presque comme une bénédiction, car elle l'empêchait de penser à ce qui l'avait entraînée à boire. Mais cet état ne dura pas longtemps. Le simple fait de préparer du café réveilla sa colère. Vanille-noisette. Le mélange même qu'elle avait partagé avec Craig lorsqu'il s'était présenté.

Mais il n'y avait pas de Craig. Il n'y avait jamais eu de Craig. Peu à peu, les symptômes de la gueule de bois s'atténuaient.

L'esprit plus clair, elle tenta de réexaminer les questions sans réponse. Tout d'abord, la plus importante : pourquoi O'Hara se faisait-il passer pour quelqu'un d'autre ?

Oublie la police d'assurance, tu ne sais même pas si Centennial One existe vraiment !

En voyant l'enseigne de l'agence, elle n'avait eu aucune raison de douter de sa validité. Mais tous les paris étaient annulés. Elle décrocha le téléphone, demanda les renseignements téléphoniques de Chicago et s'enquit des coordonnées du siège de la compagnie.

— Restez en ligne, je vous transmets le numéro, dit l'opératrice.

Nora n'était pas convaincue que cela prouve quoi que ce soit. Elle tapa néanmoins les chiffres indiqués.

— Centennial One Life Insurance, bonjour, dit une agréable voix féminine.

— Pourrais-je parler à John O'Hara, s'il vous plaît ?

— Je suis désolée, M. O'Hara est en déplacement.

— Puis-je avoir sa boîte vocale ?

— Malheureusement, elle est en panne pour l'instant.

— Comme ça tombe bien !

— Pardon ?

— Ne faites pas attention.

— Si vous voulez, je peux prendre un message.

— Non, ce n'est pas la peine.

Sur le point de raccrocher, Nora se ravisa.

— Excusez-moi, quel est votre nom ?

— Susan.

— En fait, Susan, je voudrais vous poser une autre question. Pouvez-vous me dire si un certain Craig Reynolds est employé dans votre compagnie ?

— Restez en ligne, je vais vérifier. Reynolds, c'est ça ?

— Oui.

— Ça y est, je l'ai. M. Reynolds est l'un de nos agents de New York. De Briarcliff Manor, plus exactement. Voulez-vous le numéro de son bureau ?

— Certainement.

Nora le nota.

— Merci, Susan.

— Je vous en prie, madame…

La standardiste s'interrompit.

— Je suis désolée, je n'ai pas retenu votre nom.

— Je ne vous l'ai pas dit.

Après avoir raccroché, Nora alla aussitôt chercher son sac duquel elle sortit la carte professionnelle que « Craig » lui avait donnée. Les deux numéros étaient les mêmes.

— Tu es plutôt bon, O'Hara, murmura-t-elle en attrapant ses clés de voiture. Mais la lune de miel est terminée.

IV
JUSQU'À CE QUE LA MORT NOUS SÉPARE

86

Nora changea constamment de station de radio jusqu'à ce qu'elle arrive à Briarcliff Manor. Elle n'avait envie d'entendre aucune chanson, surtout s'il s'agissait de ce rap merdique, qui lui donnait toujours envie de hurler. C'est d'ailleurs ce qu'elle finit par faire. Elle était à bout de nerfs, un état qui n'avait rien à voir avec la quantité de café qu'elle avait ingurgitée. Le simple fait de penser à O'Hara la mettait sous tension.

Lorsque la sonnerie de son portable retentit, elle faillit aller dans le fossé. *C'est lui, c'est sûr!* Elle se dit d'abord qu'elle allait l'envoyer promener sur-le-champ, avec quelques mots choisis qui lui feraient comprendre qu'elle connaissait sa véritable identité. Mais, en prenant l'appareil, elle se ravisa. Il n'était pas question qu'il s'en sorte aussi facilement. Le reflet du soleil sur l'écran l'empêchait de vérifier l'origine de l'appel. Peu importait, c'était lui, elle en était certaine.

— Allô?

— Où étais-tu passée?

L'instinct est parfois trompeur. La voix légèrement contrariée à l'autre bout de la ligne était celle de Jeffrey. Elle n'avait répondu à aucun de ses appels depuis deux jours.

— Je suis vraiment désolée, mon cœur. J'avais l'intention de te rappeler, mais tu m'as battue au poteau.

Il se radoucit instantanément.

— Bon sang, je commençais à m'inquiéter, chérie. Je me demandais ce qui se passait!

Une excuse s'imposait. Et une bonne, de préférence.

— C'est cette fichue cliente, tu sais, celle qui a menacé de me renvoyer si je ne choisissais pas personnellement les tissus avec elle.

— Comment pourrais-je l'oublier, nous lui avons sacrifié un week-end !

Nora laissa s'écouler quelques secondes de silence, d'un silence très éloquent.

— Oh non ! reprit-il, tu ne vas pas m'annoncer…

— Je vais essayer de me libérer.

— Quelles sont ses exigences, cette fois ?

— Elle veut que je me rende dans sa maison d'East Hampton pour voir le nouveau jardin d'hiver. C'est une très bonne cliente, une des premières que j'aie eues.

— Quand seras-tu fixée ? Demain, c'est déjà vendredi, Nora.

Il était fou de rage. Il ne l'appelait Nora que lorsqu'il était furieux.

— Cet après-midi, je pense. Crois-moi, l'idée de passer un autre week-end avec cette mégère me tue. Tu me manques.

— C'est vrai que tu as l'air stressée, mon trésor. Sinon, tout va bien ?

— Tout va bien.

L'image d'O'Hara surgit dans sa tête.

— Il suffit parfois d'une seule personne pour te mettre les nerfs en boule, tu sais.

— C'est une raison de plus pour être avec le seul être qui puisse y faire quelque chose, susurra Jeffrey. Tu me rappelles ? Je t'aime.

Nora acquiesça et termina la conversation par « je t'aime aussi ».

Elle était modérément satisfaite de son improvisation. Il lui devenait de plus en plus difficile de coordonner ses mensonges. Elle allait finir par se mettre en danger. Néanmoins, elle n'allait pas s'engager pour un week-end avec son mari sans savoir de façon plus précise où voulait en venir O'Hara.

Une minute plus tard, elle arrivait au centre de Briarcliff Manor. Miraculeusement, elle trouva une place pour se garer.

En descendant de voiture, elle leva les yeux vers les fenêtres du premier étage.

— Centennial One Life Insurance.

Elle avait lu le nom lentement et à haute voix, pour être sûre qu'aucun détail ne lui échappait. Plus rien ne pouvait être pris pour argent comptant. Plus rien, O'Hara.

87

— Bonjour. Que puis-je faire pour vous ?

À travers ses lunettes de soleil, Nora examina la souriante jeune femme assise derrière le bureau : vingt-cinq ans environ, regard intelligent, surqualifiée pour ce job.

— Oui, je suis venue voir Craig Reynolds. Est-il là ?

Son interlocutrice hésita imperceptiblement. Elle faisait sans doute partie de la mascarade. Pas mauvaise actrice du tout.

— Je suis désolée, M. Reynolds est absent pour l'instant.

Nora jeta un coup d'œil à sa montre.

— Il est parti déjeuner ?

— Non, il est en déplacement.

— Savez-vous quand il doit revenir ?

— Lundi, je pense. Aviez-vous rendez-vous avec lui ?

— Non. Craig m'avait dit de passer. Mais peut-être pouvez-vous m'aider. Il me faudrait la copie d'une police d'assurance.

De nouveau, une imperceptible hésitation, une lueur un peu plus vive dans les yeux… Tout à fait dans son rôle.

— En êtes-vous la titulaire ? demanda la secrétaire.

— Non, mais j'en suis la bénéficiaire.

— Je vois. Je suis désolée, dit la jeune femme en secouant la tête, je ne suis malheureusement autorisée à fournir de copie qu'au titulaire de la police.

Nora lut le nom qui figurait sur la plaque à l'avant du bureau.

— Vous vous appelez Molly ?

— Oui.

— Le problème, voyez-vous, Molly, c'est que le titulaire est mort.

— Mon Dieu, je suis désolée !

— Moi aussi. C'était mon fiancé.

Le visage de la secrétaire s'éclaira soudain.

— Vous êtes madame Sinclair, n'est-ce pas ?

— Comment le savez-vous ?

La jeune femme regarda derrière elle comme pour souligner l'exiguïté du lieu.

— Nous ne sommes que deux à travailler ici. Je suis bien au courant de votre affaire. Sachez que je suis vraiment désolée pour vous.

Nora ôta ses lunettes et regarda son interlocutrice dans les yeux.

— Je suppose que vous pouvez donc me donner une copie sans problème ?

Molly cligna des paupières avant de sourire.

— Bien sûr... oui. Je vais essayer de la trouver dans le bureau de M. Reynolds.

Tandis qu'elle se dirigeait vers une pièce située à l'arrière, Nora examina le décor qui l'entourait. Effectivement étroit, le bureau avait toutes les apparences de l'authenticité. Des chemises traînaient un peu partout, ainsi que des brochures imprimées. Il y avait pourtant un élément étrange : Molly. Pour quelqu'un qui prétendait tout connaître des dossiers en cours, elle était facilement déroutée.

La secrétaire revint dans la pièce, les mains vides et secouant la tête.

— Je suis confuse, madame Sinclair, je n'arrive pas à mettre la main dessus.

Nora se tapa le front.

— Mais, j'y pense, Craig m'a dit que la police se trouvait au siège, à Hartford !

— Ah bon ? Eh bien, elle doit y être.

Nora étudia son interlocutrice un instant. Celle-ci venait de faire une gaffe sans s'en apercevoir. Apparemment, son

« patron » avait omis de lui dire que le siège de Centennial One Life Insurance se trouvait à Chicago. Elle enfila de nouveau ses lunettes.

— Dans ce cas, je vais attendre le retour de Craig.

— Je lui dirai que vous êtes passée.

Je n'en doute pas une seconde, Molly.

Nora retourna aussitôt à sa voiture et saisit son téléphone. Elle pressa la touche 2 pour composer le numéro en mémoire avec rapidité. Tel était maintenant l'élément essentiel : la rapidité. Il fallait faire vite pour boucler ce qui était en suspens.

— Allô ?

— Bonne nouvelle, mon cœur, annonça-t-elle.

— Tu as pu te libérer ?

— Exact. Je suis tout à toi ce week-end.

— Fantastique ! s'exclama Jeffrey. Je meurs d'impatience.

88

Alors que nous nous dirigions tous les trois vers notre lieu de campement très particulier, il régnait un silence à donner le frisson. Cette soirée allait être absolument parfaite.

— Papa, est-ce qu'on risque d'avoir des ennuis ?

Je regardai Max, le plus jeune de mes deux fils. À six ans, il commençait tout juste à appréhender la notion de responsabilité, pour laquelle son père aurait sans nul doute eu besoin d'une remise à niveau.

— Non, j'ai obtenu l'autorisation de venir ici.

— Ben oui, espèce de nouille, intervint John junior. Papa ne nous aurait pas emmenés ici sans demander la permission ! Hein, P'pa ?

À neuf ans, John junior avait découvert depuis longtemps le détestable plaisir d'être l'aîné.

— Du calme, J. J., lui dis-je. Max a posé une question pertinente. C'est vrai, Max.

— Ouais ! s'écria Max. Pertinente !

Je souris intérieurement et accélérai le pas.

— Allons, nous sommes presque arrivés.

Au cours de quelques-uns de nos voyages précédents, je les avais emmenés sur la piste des Mohicans. Nous avions même passé une semaine dans le parc de Yellowstone. Mais là, je ressentais le besoin de faire quelque chose de vraiment différent. Peut-être essayais-je d'atténuer le sentiment de culpabilité que j'éprouvais vis-à-vis de Nora. En tout cas, je disposais d'une soirée avec mes garçons et j'étais déterminé à la rendre inoubliable.

Je m'immobilisai soudain et me tournai vers eux.

— Alors, qu'en pensez-vous, les mecs ?

Max et John junior écarquillèrent les yeux tout en ouvrant la bouche. Pour une fois, ils étaient sans voix… et je savourais leur surprise. Il n'y a pas beaucoup d'endroits où l'on peut camper dans le Bronx, mais j'étais sûr d'avoir trouvé le meilleur.

— Bienvenue au Yankee Stadium[1], messieurs.

Ils laissèrent aussitôt tomber leur sac à dos et foncèrent sur le terrain. Nous étions en fin d'après-midi et il n'y avait pas une âme alentour. Les Yankees se trouvaient quelque part sur la côte Ouest ; nous avions le stade pour nous seuls. « N'oublie pas de fermer en partant », c'est tout ce que m'avait dit l'ami qui travaillait pour l'équipe. Il pouvait faire pire que de rendre service à un gars du FBI.

J'ouvris mon sac et en sortis tout l'équipement nécessaire. Battes, gants, casquettes, maillots et une douzaine de balles usagées.

— Bon. Qui veut frapper en premier ?

— Moi, moi, moi !

— Non, moi, moi, moi !

Jusqu'à ce que le soleil tombe derrière le panneau de score et les hautes tribunes, nous nous amusâmes comme des fous.

— Est-ce qu'on va vraiment dormir ici ? demanda John junior, stupéfait.

— Bien sûr, espèce de nouille, dit Max d'un ton doucereux. P'pa l'a dit.

— C'est vrai, je l'ai dit.

Je me dirigeai vers le sac et attrapai l'igloo.

— On l'oriente de quel côté ?

L'un de mes doigts désignait le milieu de terrain, et l'autre, une base.

— J'ai une idée, repris-je. Nous allons nous installer face à la troisième base. C'est là que jouait mon joueur favori quand j'étais adolescent.

---

1. Le Yankee Stadium est le siège de l'une des meilleures équipes de base-ball des États-Unis, les New York Yankees. (N.d.T.)

— C'était qui ? s'enquit John junior.

— Craig Nettles, répondis-je.

J'avais toujours aimé ce prénom.

Les garçons et moi dressâmes la tente. Plus exactement, je la dressai pendant que J. J. et Max continuaient à se déchaîner sur le terrain. Je prenais un plaisir énorme à les voir aussi excités. Peut-être étais-je, finalement, en train de retrouver le sens des priorités.

89

Ils s'enlaçaient et s'embrassaient comme un couple d'adolescents surchauffés dans le vestibule de l'hôtel particulier de Back Bay. Nora venait d'arriver.

— Quel régal, déclara Jeffrey, la serrant fort dans ses bras. Je t'ai pour un week-end entier. Tu imagines ?

— Pas de sarcasmes, s'il te plaît. Je culpabilise à l'idée de te détourner de ton roman ; je sais que tu arrives au bout.

— Pas du tout.

Elle le regarda, étonnée, et vit son large sourire.

— Tu as fini ?

— Hier, après une nuit blanche. J'avais besoin de me défouler, j'étais trop frustré que tu ne m'appelles pas.

— Tu vois, dit-elle en lui appliquant une petite tape sur la poitrine, je devrais te laisser en suspens plus souvent !

— C'est bizarre que tu dises ça.

— Que veux-tu dire ?

— Le mot « suspens ». J'ai changé la fin de mon livre ; mon personnage finit par se passer une vraie corde autour du cou.

— Vraiment ? Laisse-moi le lire !

— Attends, je veux te montrer autre chose d'abord. Suis-moi.

— Oui, maître. Où vous voudrez.

Il lui prit la main et l'entraîna en haut de l'escalier. Ils passèrent devant la bibliothèque et se dirigèrent vers la chambre à coucher.

— Si tu veux me montrer ce que je pense que tu veux me montrer, je l'ai déjà vu, railla-t-elle.

— Quel manque d'imagination ! répliqua-t-il en riant.

À quelques pas de la chambre, il s'arrêta.

— Maintenant, ferme les yeux, chuchota-t-il.

Nora obéit. Il la guida à l'intérieur.

— Bien, tu peux les ouvrir, à présent.

Elle leva les paupières. Sa réaction fut immédiate.

— Jésus Marie Joseph !

Après un regard appuyé à Jeffrey, elle se tourna de nouveau vers la cheminée. Au-dessus était accroché un tableau qui la représentait.

— Eh bien, qu'en dis-tu ?

— Il est magnifique, s'écria-t-elle avant de se dire intérieurement que cet enthousiasme pouvait paraître incongru. Enfin, je veux dire...

— Tu as raison, il est réellement magnifique !

Debout derrière elle, il l'enlaça et posa la tête sur ses cheveux.

— Comment pourrait-il ne pas l'être ? conclut-il.

Elle fixa le portrait jusqu'à ce que ses yeux se remplissent de larmes. Jeffrey l'aimait vraiment, c'était certain. Cette œuvre illustrait les sentiments qu'il avait pour elle, la façon dont il la voyait. Son mari lui donna une petite secousse.

— Tu vois, ce n'était pas un matelas, mais une toile.

Il désigna du menton le lit d'acajou à colonnes.

— Bien sûr, maintenant que nous sommes là...

Nora fit volte-face dans ses bras.

— On peut dire que tu sais vraiment t'y prendre pour mettre une fille dans ton lit !

— Je ne lésine pas sur les moyens, reconnut-il.

— J'adore cette peinture.

— Et moi, c'est toi que j'adore.

Il s'embrassèrent et se dévêtirent en se déplaçant vers le lit. Lentement, il la souleva de ses bras puissants, la déposa sur le duvet et marqua une pause, simplement heureux de la contempler. Nora le laissa faire. Il méritait de la voir nue ; il était si gentil avec elle.

Ils firent l'amour en prenant d'abord leur temps, puis avec fébrilité, en se donnant totalement, bras et jambes enroulés, jusqu'à ce qu'ils explosent. Ce fut du moins le cas de Jeffrey. Nora joua quant à elle son rôle à la perfection, avec un talent qui n'avait rien à envier à celui de Meg Ryan dans *Quand Harry rencontre Sally*, le comique en moins.

Une minute s'écoula tandis qu'ils s'étreignaient encore, sans dire un mot. Avec un profond soupir, Jeffrey roula sur le côté.

— J'ai faim, annonça-t-il. Et toi?

Nora posa la tête sur l'oreiller. Elle ne pouvait éviter de voir sur le mur son effigie dont le regard croisait le sien. Y avait-il au monde une autre femme comme elle?

— Oui, répondit-elle. J'ai faim, moi aussi.

90

Nora était debout devant la plaque de cuisson en acier inoxydable, jolie comme un rêve, lorsque Jeffrey la rejoignit dans la cuisine.

— Tu avais raison, dit-il, la douche m'a fait du bien.

— Je te l'avais dit.

Il inspecta la poêle par-dessus son épaule.

— Tu es sûre que je ne peux rien faire ?

— Rien, mon cœur. Je maîtrise la situation.

Elle tendit la main vers la spatule. Il ne pouvait vraiment rien faire ; elle avait pris sa décision. Alors qu'il s'asseyait, elle donna à l'omelette la dernière pichenette.

Je ne changerai pas d'idée. Il faut que je le fasse. C'est pour ce soir.

— J'ai oublié de te dire que le fameux photographe vient ce week-end. Il sera là samedi après-midi.

— Ça veut donc dire que tu as bien réfléchi ?

— Pour annoncer au monde entier à quel point je suis chanceux ? Oui. Jeffrey Walker et Nora Sinclair sont mariés et très heureux. J'ai l'intention de m'ouvrir de plus en plus au public.

Elle réprima un rire.

— Quoi ?

— Tu en parles comme s'il s'agissait d'une vente d'actions. De faire des affaires.

Se tournant vers le fourneau, elle versa l'omelette dans une assiette. L'heure de manger était venue. Elle s'assit à la table et le regarda avaler une bouchée après l'autre. Il paraissait comblé.

— Je voudrais en savoir plus sur ton roman, dit-elle enfin. Il se termine par une pendaison ?

Il opina du chef.

— J'ai décrit des personnages guillotinés, tués en duel et fusillés, mais il me manquait un bon petit pendu.

Il leva brusquement les mains jusqu'à son cou et fit comme si une corde l'étranglait, avant de s'esclaffer. Du mieux qu'elle put, Nora se composa une expression amusée.

— Tu sais, chérie, il faudrait que nous par…

— Qu'est-ce qui se passe ?

Jeffrey ouvrit lentement les yeux

— Rien, dit-il, la voix étouffée.

Il se racla la gorge.

— Qu'est-ce que je disais ? Ah oui, il faudrait que nous parlions du…

De nouveau, il s'interrompit. Nora observait soigneusement son visage. Le produit faisait son effet mais elle craignait de ne pas l'avoir bien dosé. Il aurait dû se sentir beaucoup plus mal. Quelque chose n'allait pas.

— Qu'est-ce que je disais ? répéta-t-il.

À peine eut-il posé la question qu'il se mit à chanceler sur sa chaise. Sa voix semblait émaner d'un disque brisé.

— Il faut que… que nous parlions… du voyage de noces.

Il agrippa son ventre, hoquetant de douleur et jetant à Nora un regard affolé. Elle se dirigea vers le robinet de l'évier pour remplir un verre. Le dos tourné, elle versa rapidement dans le récipient une dose très généreuse du médicament que son premier mari, Tom le cardiologue, aimait appeler « l'accélérateur ». Combiné au produit qu'elle avait mélangé à l'omelette, il favoriserait la détresse respiratoire, puis l'arrêt du cœur, tout en étant entièrement absorbé par l'organisme.

— Tiens, bois ceci, dit-elle à Jeffrey en lui tendant le verre.

Il toussait et crachotait.

— Qu'est-ce… qu'est-ce que c'est ? demanda-t-il, incapable de concentrer son regard sur le liquide pétillant.

— Bois, dit Nora. Ça va tout résoudre. Ouizzzz !

91

Il voulait des réponses. Il lui fallait trouver les relations entre les différents éléments et reconstituer le puzzle. C'était devenu tout à coup une question capitale pour O'Hara, le Touriste.

Le fichier mystérieux qu'il avait récupéré devant la gare ; la liste des noms, des adresses, des numéros de comptes, des sommes déposées ; le livreur de pizza qui avait essayé de l'éliminer. Qui était derrière tout cela ? Celui qui avait vendu les informations à l'origine, le maître chanteur ? Les gens du Bureau ? Que voulaient-ils ? Savaient-ils qu'il avait fait une copie du fichier ? Se contentaient-ils de le soupçonner ? Ou bien avaient-ils voulu parer à toute éventualité ?

Ils ne me font pas confiance. Je ne leur fais pas confiance. Tel est le monde d'aujourd'hui.

Après avoir passé ce grand moment avec les garçons au Yankee Stadium, il avait un peu de temps libre. Chaque fois qu'il en avait le loisir, il travaillait sur les noms du fichier, essayant d'y voir plus clair. À dire vrai, il n'avait pas de don particulier pour ce genre de choses. Mais il avait tout de même découvert certains indices : tous les individus mentionnés faisaient fructifier illégalement leur argent dans des paradis fiscaux. Plus d'un milliard en tout.

Il avait contacté quelques-unes des banques de la liste, mais ce n'était sûrement pas le meilleur moyen d'apprendre quoi que ce soit. Il avait appelé le domicile de quelques-uns des titulaires des comptes, ce qui s'était révélé, bien évidemment, totalement inutile.

Ce dimanche soir, à une heure tardive, il lisait la section « Mode » du *New York Times*. Pas du tout pour le plaisir, mais pour des raisons ayant trait à Nora Sinclair et à leurs sujets de conversation. Et tout à coup, ce fut l'illumination.

Bingo !

Trois, quatre, cinq, neuf, onze des personnes de la liste avaient assisté à la même réception de grosses légumes qui s'était tenue au Waldorf Astoria. Tout concordait : le chantage, l'arnaque, la panique générale et la raison pour laquelle il avait été engagé. On avait voulu s'assurer que tout se passerait bien, puis on avait voulu l'éliminer, au cas où il se serait montré un peu trop futé.

Eh bien, effectivement, il savait beaucoup plus de choses qu'il ne l'aurait voulu. Sur chacune des deux affaires.

92

Du nerf, O'Hara. Bouge un peu.

Susan voulait une arrestation, ce qui signifiait qu'il fallait passer en mode accéléré et que je pouvais me permettre de transgresser quelques règles. Du moins, telle était mon interprétation. Il est vrai que, parfois, je n'entends que ce que je veux entendre.

Assis dans une chaise face à Steven Keppler, je ne pouvais m'empêcher de remarquer certaines choses. Premièrement, il avait une coupe lamentable : beaucoup de surface à couvrir pour des cheveux trop rares. Deuxièmement, il était visiblement nerveux. Mais beaucoup de gens se sentent nerveux face à un agent du FBI, la plupart d'entre eux sans la moindre raison.

Je sautai les préliminaires d'usage et sortis une photographie de la veste de mon costume. C'était l'un des clichés que j'avais pris avec mon numérique à Westchester.

— Reconnaissez-vous cette femme ? demandai-je en l'élevant au niveau de ses yeux.

Il se pencha sur son bureau et répondit promptement.

— Non, je ne crois pas.

J'étendis le bras afin qu'il puisse mieux voir.

— Allez-y, regardez de plus près, s'il vous plaît.

Il prit la photo et l'étudia en faisant un numéro d'acteur de série B : sourcils froncés, yeux plissés et, pour finir, haussement d'épaules exagéré associé à une secousse de la tête.

— Non, je ne la connais pas, déclara-t-il. C'est une jolie femme.

Lorsqu'il me rendit le cliché, je me grattai le menton.

— C'est vraiment étrange, laissai-je tomber.

— Quoi donc ?

— Comment cette jolie femme peut-elle avoir votre carte professionnelle sans que vous vous soyez rencontrés ?

Il changea de position sur sa chaise.

— Quelqu'un la lui a peut-être donnée, suggéra-t-il.

— Pourquoi pas ? Sauf que ça n'explique pas pourquoi elle m'a dit elle-même qu'elle vous connaissait.

Keppler leva une main jusqu'à son nœud de cravate tout en lissant ses cheveux de l'autre. Il avait la bougeotte.

— Puis-je regarder cette photo de nouveau ?

Je la lui tendis et observai son visage, certain que j'allais assister à un autre numéro de seconde catégorie. Je ne me trompais pas.

— Oh, attendez, je crois que je sais qui c'est, articula-t-il en tapotant le papier avec son index. Mme Simpson… Singleton ?

— Sinclair, dis-je.

— Bien sûr. Olivia Sinclair.

— C'est Nora, en fait.

Il secoua la tête.

— Non, je suis pratiquement sûr que son prénom est Olivia.

Pour un gars qui prétendait ne pas la connaître une minute avant !

— Il s'agit donc de l'une de vos clientes ? Jolie, comme vous dites. Je suis surpris que vous ne vous en soyez pas souvenu.

— J'ai travaillé un peu pour elle, oui.

— Quel genre de travail ?

— Agent O'Hara, vous savez pertinemment que je ne suis pas autorisé à vous le révéler.

— Bien sûr que si.

— Vous comprenez ce que je veux dire.

— Vraiment ? La seule chose que je comprenne, c'est que vous avez prétendu ne pas reconnaître l'une de vos clientes, qui se trouve faire l'objet de mon enquête. En d'autres termes, vous avez menti à un agent fédéral.

— Dois-je vous rappeler que vous vous adressez à un magistrat ?

— Dois-je vous rappeler que je peux revenir dans une heure avec un mandat de perquisition et retourner votre bureau de fond en comble ?

Je fixai Keppler, espérant qu'il préférerait sauver les meubles et s'incliner. Au lieu de cela, il fit preuve d'un certain cran. Il contra par une attaque.

— Vos menaces absurdes marchent peut-être avec d'autres, lança-t-il en relevant le menton, mais je me targue de respecter le secret professionnel. Notre entretien est terminé.

Je me levai.

— Vous avez raison, décrétai-je avec un profond soupir. Vous avez le droit de respecter la confidentialité de vos clients et je suis allé trop loin. Je vous demande de m'excuser.

Je plongeai la main dans ma veste.

— Écoutez, voici ma carte. Si vous changez d'avis, ou si vous avez besoin de la protection de la police, appelez mon bureau.

Son visage se crispa.

— La protection de la police ? Êtes-vous en train de me dire que cette femme est dangereuse ? Olivia Sinclair ? Quelle est exactement la raison de votre enquête ?

— J'ai bien peur de ne pas être autorisé à vous le révéler, monsieur Keppler. Mais je suis sûr que, si elle vous a fait confiance pour ses affaires, elle est convaincue que vous ne direz jamais rien.

Sa voix grimpa d'une octave.

— Attendez… Où est-elle, en ce moment ? Vous la suivez, non ?

— C'est là le problème. Nous la suivions, mais nous ne savons pas où elle se trouve pour l'instant. Monsieur Keppler, je ne peux pas tout vous expliquer, mais je peux vous dire ceci : c'est une affaire de meurtre. Et il est probable que nous mettrons bientôt ce mot au pluriel.

Le cran de l'avocat s'envola avec le secret professionnel. Quand il fut en état d'articuler, il m'invita à me rasseoir.

— Avec plaisir, dis-je.

93

L'album de Jeffrey était refermé. Son compte en banque était presque vidé sans qu'il y ait apparemment le moindre soupçon des autorités ; le photographe du *New York Magazine* n'avait pu réaliser ses clichés et l'interview elle-même avait été classée dans les archives. Globalement, Nora savait qu'elle aurait dû être satisfaite de la façon dont les choses s'étaient déroulées à Boston. Pourtant, en rentrant dans son loft de SoHo, elle avait le sentiment que tout allait mal.

Elle pensait à O'Hara. Avant de prendre son téléphone portable, elle hésita. Elle devait se souvenir qu'elle était censée ne rien savoir. Finalement, elle composa le numéro.

— Allô ?

— Ai-je affaire à mon amant téléphonique ? demanda-t-elle.

Il eut un gloussement.

— Maman, c'est toi ?

Elle ne put s'empêcher de rire.

— Oh, c'est un peu gras !

— J'essayais d'être drôle.

— Alors, monsieur Craig Reynolds, ne deviez-vous pas m'appeler de Chicago ? Étiez-vous trop occupé ?

— Je sais, je suis désolé, dit-il. Je n'ai pu m'échapper du séminaire.

— Et alors ! Tu as été bien ? Tu as donné le meilleur de toi-même ?

— Tu ne peux pas t'imaginer à quel point.

Nora réprima un ricanement. *Je crois que si, John O'Hara.*

— Écoute, poursuivit-il, je vais me faire pardonner.

— J'espère bien. Que fais-tu ce soir ?

— La même chose que cet après-midi. Je bosse.

— Je croyais que c'était ce que tu avais fait pendant ton voyage ?

— Crois-le ou non, je dois rédiger un compte rendu du séminaire. Je suis plongé dedans jusqu'au cou et...

— Balivernes ! interrompit Nora. Je te vois, tu es en train de regarder la télévision. C'est un match de base-ball si je ne m'abuse.

Il ne réussit qu'à émettre deux mots :

— Mais... comment...

— Regarde dans ton allée, Craig. Tu vois la Mercedes rouge ? Tu vois la fille superbe sur le siège du conducteur ? Elle te fait un signe de la main. Coucou !

Nora vit la silhouette d'O'Hara se dessiner derrière la fenêtre et aperçut son visage aussi étonné que sa voix.

— Depuis combien de temps es-tu là ? demanda-t-il.

— Assez de temps pour te prendre en flagrant délit de mensonge. Le base-ball ! Tu me préfères le base-ball ?

— Je prends une petite récré, c'est tout.

— Bien sûr. Craig a-t-il le droit de sortir s'amuser ou non ?

— Pourquoi n'entres-tu pas ?

— Je préférerais que nous allions nous promener.

— Où ça ?

— C'est une surprise. Allons, décroche un peu de ton travail !

— En parlant de travail...

— Oui ?

— Le contexte de notre relation commence à me poser problème. Tu es tout de même une cliente, Nora.

— Il est peut-être un peu tard pour se poser ce genre de question, non ?

Il ne répondit rien. Nora insista.

— Allons, Craig, tu sais que tu as envie d'être avec moi... et, moi aussi, j'ai envie d'être avec toi. Il n'y a rien de plus simple.

— J'y ai beaucoup pensé.

— Et j'ai beaucoup pensé à toi. Je ne sais pas vraiment pourquoi, mais tu ne ressembles à aucun des hommes que j'ai rencontrés. J'ai l'impression de pouvoir tout te dire.

Il y eut une pause à l'autre bout de la ligne.

— Une promenade, alors ? dit-il avec un soupir.

94

Je n'étais pas vraiment d'humeur pour une promenade au clair de lune, mais je m'étais laissé embarquer. Juste Nora Sinclair et moi.

Le cabriolet était décapoté et nous fendions l'air de la nuit, frais et vivifiant. La route et les panneaux qui défilaient n'étaient que des taches indistinctes. Nora se comportait sur les routes secondaires des environs de Westchester comme sur une autoroute personnelle et j'étais réduit au rôle de passager.

Bon sang, qu'est-ce que je suis en train de faire ?

Malheureusement, je n'avais pas de réponse à cette question.

L'information si généreusement fournie par Steven Keppler, l'homme à la coupe lamentable, avait été transmise à Susan. Elle l'avait communiquée aux magiciens de l'informatique du Bureau qui allaient s'introduire dans le compte clandestin de Nora pour analyser les sommes déposées et leurs transferts. Tous, sans exception. Combien y en avait-il ? Ils se montreraient particulièrement attentifs à ce qui pouvait se rapporter à un certain Connor Brown, avant et après sa mort.

— Accorde-leur vingt-quatre heures, avait dit Susan. Trente-six au maximum.

Dans l'intervalle, je n'avais qu'une seule chose à faire : me tenir à distance de Nora. Et, pourtant, elle était assise juste à côté de moi, plus ravissante, plus élégante, plus envoûtante que jamais. S'agissait-il, à mes yeux, d'une dernière fois ? D'un reniement ? Ou d'une folie passagère ? Une partie de moi espérait-elle en fait que les magiciens de l'informatique ne

trouveraient aucun élément incriminant, et qu'elle était innocente ? Ou voulais-je qu'elle s'en tire, même si c'était une
meurtrière ?

Je me tournai vers elle.

— Excuse-moi, que disais-tu ?

Elle me parlait, mais le vrombissement du moteur, ajouté
au bruit infernal qui résonnait dans ma tête, m'empêchait de
distinguer ses paroles. Aimablement, elle les répéta.

— Est-ce que tu n'es pas content d'être venu ?

— Je n'en sais rien encore, répliquai-je en beuglant
presque. Je ne sais toujours pas où nous allons.

— Je te l'ai dit, c'est une surprise.

— Je n'aime pas les surprises.

— Ce n'est pas exactement ça. Tu n'aimes pas ne pas avoir
le contrôle. Ce qui est bon à savoir.

Avant que j'aie pu répondre, elle bifurqua brusquement, le
pied très éloigné de la pédale de frein. Les pneus crissèrent
tandis que le cabriolet faisait une embardée, semblant caresser
l'idée de se retourner. Nora rejeta la tête en arrière.

— Est-ce que tu ne te sens pas vivant ! hurla-t-elle.

95

Il lui fallut un feu rouge pour ralentir.

Après avoir roulé pendant un peu plus d'une demi-heure, nous avions atteint la petite ville de Putnam Lake et nous venions de nous arrêter au carrefour. Je me souviens de chaque détail.

— Sommes-nous bientôt arrivés ? demandai-je.

— Presque. Ça va te plaire, Craig. Relax !

Je jetai un coup d'œil sur ma droite pendant qu'elle tripotait l'autoradio. Devant la station Mobil, il y avait un vieil homme en train de remplir sa Jeep Cherokee. Pendant une seconde, nos yeux se croisèrent. Il ressemblait un peu à mon père.

« Il ne faut pas se fier aux apparences. »

Le feu passa au vert et Nora fonça de nouveau.

— Tu es pressée ?

— Oui. Je suis en chaleur. Tu m'as manqué. Et moi ?

Nous parcourûmes plusieurs kilomètres sans rien dire, la radio rivalisant avec les huit cylindres. J'eus du mal à reconnaître la chanson : « *Hotel California* ». Vu la façon dont Nora conduisait, ç'aurait dû être « *Fly Me to the Moon* ».

Nous bifurquâmes de nouveau.

Je ne vis aucun nom de rue. La voie dans laquelle nous nous étions engagés était étroite et sombre. Levant les yeux vers le ciel, je remarquai que la lumière déversée par la lune était maintenant obscurcie par des arbres imposants. Nous nous promenions officiellement dans les bois.

— Bon, je peux éliminer Disneyland, dis-je.

Elle rit.

— Ce sera notre prochain voyage.

— Tu sais quand même où nous allons, j'espère.

— Est-ce qu'on ne me ferait pas confiance ?

— C'était une simple question.

— Bien sûr.

Elle s'interrompit.

— J'avais raison, en fait, reprit-elle.

— À propos de quoi ?

— Tu n'aimes vraiment pas ne pas avoir le contrôle.

Une minute plus tard, la voie se transforma en un chemin de terre plus étroit, mais nous poursuivîmes notre route. Des cailloux roulaient sous les pneus. Le cabriolet eut une énorme secousse et bringuebala dans un bruit de ferraille. Je jetai un regard de côté à Nora.

— C'est un tout petit peu plus loin, dit-elle, souriant encore.

Au bout de quelques centaines de mètres, nous pénétrâmes dans une clairière. J'essayai de discerner la silhouette du bâtiment qui se dressait devant nous. Une sorte de petite maison au bord d'un lac, ou d'un étang. La voiture s'immobilisa devant les marches du perron.

— N'est-ce pas incroyablement romantique ?

— À qui cela appartient-il ?

— À moi.

Je regardai la cabane. Mes yeux commençaient à s'habituer à l'obscurité et, grâce aux phares de la Mercedes, je distinguai les murs constitués de rondins longs et épais. Je ne m'attendais pas à ce que Nora soit propriétaire de ce bâtiment rustique, quoique bien entretenu.

— Surprise ! s'écria-t-elle. C'est une découverte agréable, non ? Tu n'aimes pas ma petite maison au bord de l'eau ?

— Si. Pourquoi devrais-je ne pas l'aimer ?

Elle coupa le moteur et nous descendîmes du véhicule. C'était un endroit magnifique, presque parfait.

— Tu sais, je n'ai pas emporté de brosse à dents, dis-je.

— Ne t'inquiète pas. J'ai pensé à tout. J'ai tout ce qu'il te faut, Craig.

Elle pressa sur sa télécommande et la porte du coffre se souleva aussitôt. Il était plein. Pas un centimètre carré de libre.

— Tu as effectivement tout prévu, dis-je en voyant un sac de voyage et une glacière.

Tout prévu pour quoi ?

— Tu vois ici tous les ingrédients d'un souper délectable, plus quelques bricoles parmi lesquelles… oui, une brosse à dents. Alors, qu'est-ce que tu attends ?

Lorsque j'eus attrapé le sac et la glacière, nous gravîmes un vieil escalier de bois. Une fois dans la maison, je hochai la tête. De l'extérieur, la cabane avait l'aspect de la maison d'enfance d'Abraham Lincoln mais, à l'intérieur, c'était une illustration d'un magazine de décoration. J'aurais dû m'en douter.

— Cette maison appartenait à un ancien client, expliqua Nora tandis que nous déballions la nourriture. Je savais qu'il aimait le travail de décoration que j'y avais fait. J'ai été stupéfaite quand il me l'a léguée.

Elle s'approcha et enroula ses bras autour de moi. Comme toujours, elle sentait délicieusement bon, et son contact me procurait des sensations tout aussi exquises.

— Assez parlé du passé, intéressons-nous au futur. Par quoi allons-nous commencer ? Faire l'amour ou préparer le dîner ?

— Hum, c'est une question difficile !

Elle n'aurait pas dû l'être. Elle le savait et je le savais. Ce qu'elle ignorait, c'était que je lui disais la vérité. Tôt ou tard, il faudrait mettre fin à cette relation. Mais c'était plus facile à dire qu'à faire. Son corps se pressait contre le mien, mon cerveau s'emballait, la tentation était trop forte.

— Traite-moi de fou, mais je n'ai rien mangé depuis ce matin, avouai-je.

— D'accord, tu es fou. Nous allons manger avant. Il n'y a qu'un tout petit problème.

— Lequel ?

Elle se retourna et fixa le fourneau. C'était une cuisinière à bois et il n'y avait pas de combustible à proximité.

— Il y a un hangar à l'arrière de la maison, à une cinquantaine de mètres. Peux-tu nous faire la grâce…?

J'attrapai une lampe électrique dans l'entrée et me dirigeai vers le bûcher. Même avec la lumière, il faisait très sombre. Je n'étais pas du genre à flipper facilement, mais j'entendis tout près un grand froissement de branches.

Qu'est-ce que je fous dehors avec cette lampe ? Où est ce foutu hangar ?

Je le trouvai finalement et pris assez de bois pour la nuit entière. Je retournai à la cabane. Peut-être à cause du vieil homme de la station-service, je ne pus m'empêcher de penser de nouveau à mon père. « Il ne faut pas se fier aux apparences. »

96

Je rentrai, les bras chargés de bûches, et allumai le fourneau. Puis je demandai à Nora ce que je pouvais faire pour l'aider.

— Absolument rien, dit-elle en me posant un baiser sur la joue. Je prends le relais.

Je la laissai dans la cuisine et m'installai pour me détendre sur le canapé du salon avec la seule lecture disponible, un numéro vieux de quatre ans de *Chasse et pêche*. Au milieu d'un article mortellement ennuyeux sur la pêche au saumon en Irlande, Nora m'appela.

— Le dîner est servi !

Je retournai à la cuisine et m'assis devant des coquilles Saint-Jacques poêlées, du riz sauvage et une salade composée de romaine et de radis. Sur la table, une bouteille de pinot Grigio. Un menu digne d'un magazine de gastronomie.

Nora leva son verre et porta un toast.

— À une soirée mémorable.

— À une soirée mémorable, répétai-je.

Nous trinquâmes et commençâmes à manger. Elle me demanda ce que je lisais dans le salon et je lui parlai de l'article sur le saumon.

— Est-ce que tu aimes pêcher ? s'enquit-elle.

— J'adore ça.

C'était un petit mensonge, sur lequel je me surpris à broder. Tout à fait dans la lignée de ma relation avec Nora.

— Je peux te dire que quand tu attrapes enfin le gros poisson que tu attends depuis longtemps, tu oublies toute la peine que ça t'a coûté.

— Où aimes-tu aller ?

— Hmmm. Il y a quelques lacs et rivières dans le coin. Crois-moi, tu peux en attraper d'énormes, par ici. Mais ce n'est rien comparé aux îles. La Jamaïque, Saint-Thomas, les îles Caïmans. Tu y es sans doute allée ?

— Effectivement. En fait, j'étais dans les îles Caïmans il n'y a pas très longtemps.

— En vacances ?

— Un petit travail.

— Ah ?

— J'ai décoré une maison de plage pour un financier. Une demeure somptueuse au bord de l'eau.

— Intéressant, dis-je en prenant une autre bouchée de coquilles Saint-Jacques. C'est délicieux.

— Je suis ravie.

Elle tendit sa main et la posa sur la mienne.

— Alors, tu es content d'être avec moi ?

— Bien sûr.

— Tant mieux, parce que je m'inquiétais un peu au sujet de ce que tu as dit tout à l'heure ; que j'étais ta cliente.

— Je faisais surtout allusion au contexte. Je n'arrive pas à oublier que, si Connor n'était pas mort, nous ne serions pas ici.

— C'est vrai, mais…

Elle se tut.

— Qu'est-ce que tu voulais dire ?

— Je crois qu'il vaudrait mieux que je m'abstienne.

— Vas-y, insistai-je.

Je regardai autour de moi avec un sourire.

— Il n'y a que nous deux.

Elle eut un sourire fugitif.

— Je ne veux pas avoir l'air insensible, mais s'il y a une chose que j'ai apprise dans ma profession, c'est qu'on peut tomber amoureux de plusieurs maisons. Pourquoi la même chose ne pourrait-elle pas se produire pour les humains ?

Je plongeai mon regard dans le sien. Où voulait-elle en venir ? Qu'essayait-elle de me dire ?

— Tu penses que c'est ça, Nora, l'amour ?

Elle soutint mon regard.

— Je le crois, affirma-t-elle. Je crois que je suis en train de tomber amoureuse de toi. Est-ce que c'est une erreur ?

En écoutant ces mots, je déglutis péniblement. Et, tout à coup, ce fut comme si tout ce qui paraissait étrange dans cette soirée explosait dans mon estomac. Je me sentais très mal. Une réaction à ce qu'elle venait de déclarer ?

Je pensai à ce qui était arrivé la dernière fois qu'elle avait cuisiné pour moi et choisis de ne rien dire, espérant que ça passerait. Il le fallait.

Mais ça ne passa pas. D'un seul coup, je fus incapable d'articuler un mot. Et de respirer.

97

Nora regarda O'Hara basculer de sa chaise et s'ouvrir le cuir chevelu sur le sol de bois dur. Le sang jaillit aussitôt au-dessus de son œil droit. C'était une mauvaise blessure mais il ne semblait même pas s'en rendre compte. Il était visiblement beaucoup plus concerné par ce qui se passait à l'intérieur de son corps. Comme les autres.

Cependant, des hommes auxquels elle avait eu affaire, y compris son premier mari, Tom Hollis, celui-ci était le plus coriace. Elle avait éprouvé pour lui une attirance réelle ; le courant était bien passé. Son charme, sa séduction, son intelligence, si semblable à la sienne… Il était le meilleur à tout point de vue et lui manquait déjà. Elle regrettait d'avoir été obligée d'en venir là. Mais elle n'avait pas eu le choix.

Se tordant de douleur, il étouffait dans ses propres vomissures. Il essaya de se lever, mais ne réussit pas à tenir sur ses jambes. Elle se demanda si elle n'avait pas forcé la dose. Le produit initial n'était pas destiné à le tuer ; seulement à le mettre en condition.

— Je vais te chercher quelque chose pour te soulager.

Se précipitant vers l'évier, elle remplit un verre d'eau puis saisit dans sa poche un petit flacon rempli de poudre, dont elle versa une partie dans le récipient. Des bulles minuscules vinrent éclater à la surface du liquide. Elle se retourna… Craig avait disparu. Où était-il allé ?

Il ne pouvait pas s'être beaucoup éloigné. Elle fit deux pas et entendit le claquement d'une porte dans le couloir, ainsi qu'un bruit de verrou qui se refermait. Il avait atteint la salle de bains. Le verre à la main, elle se précipita.

— Chéri, tu vas bien ? cria-t-elle. Craig ?

Elle entendait ses haut-le-cœur. C'était bon signe ; il était prêt pour les bulles. Maintenant, il fallait qu'elle l'amène à lui ouvrir. Doucement, elle frappa.

— Mon cœur, j'ai quelque chose pour toi ; tu te sentiras mieux.

Aucune réponse. Elle l'appela de nouveau. Toujours rien. Finalement, elle cogna à la porte.

— Je t'en prie, fais-moi confiance !

Finalement, entre deux vomissements, il se manifesta.

— C'est ça, hoqueta-t-il.

— Sérieusement, Craig, laisse-moi t'aider, implora-t-elle. Il faut simplement que tu boives ça et la douleur va disparaître.

— Tu peux toujours courir !

Nora fulminait. *C'est ainsi que tu le prends, hein ? D'accord.*

— Tu es sûr ? demanda-t-elle. Tu es bien sûr que tu ne veux pas ouvrir la porte, O'Hara ?

Dans le silence qui suivit, elle imagina sa stupeur. Comme elle aurait aimé voir sa tête à ce moment précis !

— C'est ton vrai nom, n'est-ce pas ? O'Hara ? persifla-t-elle.

Il cessa de se taire.

— Oui, aboya-t-il. Comme dans l'expression « O'Hara, agent du FBI » !

Les yeux de Nora s'écarquillèrent devant la confirmation de ses soupçons. De façon inattendue, elle se mit à rire.

— Vraiment ? Je suis impressionnée. Je t'avais bien dit que tu étais fait pour autre chose que l'assurance. Je crois…

Il l'interrompit, la voix plus ferme.

— C'est terminé. J'en sais bien assez et je vais survivre pour dire la vérité. Tu as tué Connor pour son argent, tout comme ton premier mari.

— Tu es un menteur, hurla-t-elle.

— À côté de toi, je ne suis qu'un amateur, Nora. Ou est-ce Olivia ? En tout cas, tu peux dire adieu à ton pécule des îles Caïmans. Mais ne t'inquiète pas : là où tu vas aller, le logement et la nourriture sont gratuits.

— Je ne vais aller nulle part, abruti ! C'est toi qui pars pour un grand voyage !

— On verra ça. Si tu veux m'excuser, j'ai un coup de fil à passer.

Nora entendit les trois bips aigus provenant de la salle de bains. Il appelait le 911. Elle rit de nouveau.

— Imbécile ! Nous sommes au milieu de nulle part, ça ne capte pas par ici !

Ce fut au tour d'O'Hara de s'esclaffer.

— C'est ce que tu crois, chérie.

98

J'étais étendu sur le sol de la salle de bains, couvert de sang, de vomissures et d'autres fluides provenant de mon corps qui n'était, de toute évidence, pas supposé revoir la lumière du jour. Mais, soudain, je me sentis aussi heureux qu'un cochon dans sa bauge. Peu m'importait que chaque centimètre carré de peau me fasse souffrir. J'étais vivant. Et au téléphone.

— 911, secours d'urgence…

Les satellites avaient établi la connexion. L'aide me parviendrait dans quelques minutes. Il me suffisait de leur dire où je me trouvais. Je m'adressai à la standardiste.

— Mon nom est John O'Hara, je suis un agent du FBI et je suis…

Une cible parfaite ! J'entendis le coup de feu et vis un morceau de la porte se déchiqueter et se répandre sur le sol. Une balle siffla près de mon oreille et fit éclater le carrelage derrière moi. La scène, qui n'avait duré qu'une seconde, m'avait paru se dérouler au ralenti.

Au deuxième coup de feu, je ressentis une douleur fulgurante. Si j'avais eu de la chance la première fois, ce ne fut pas le cas à la seconde. La balle m'avait frappé à l'épaule et s'était frayé un chemin au travers. Mes yeux se posèrent sur le trou de ma chemise teintée de sang.

Bon sang, elle m'a eu !

Le téléphone m'échappa et je me raidis un quart de seconde. Si j'avais maintenu ma position une seconde entière, je serais mort. Mais mon instinct prit tout à coup le dessus. Je roulai sur la gauche, m'éloignant ainsi de la ligne de tir. Le troisième coup de feu brisa le carrelage mural à l'endroit exact où je me trouvais l'instant précédent. Il m'aurait touché en pleine poitrine.

— Tu es content, O'Hara ? Ça, c'est pour ma police d'assurance !

Je me tus. Toute parole l'aurait incitée à tirer encore. J'attendis qu'elle dise autre chose mais rien n'arriva. Le seul son que je percevais était la voix étouffée de la standardiste qui me parvenait du portable tombé à un mètre de moi environ.

— Monsieur, vous êtes toujours là ? Que se passe-t-il ?

Ou quelque chose comme ça. Je n'aurais pu en jurer. Je m'en fichais. La seule chose qui comptait pour le moment n'était pas le téléphone.

Lentement, je relevai la jambe de mon pantalon. Je n'avais pas pris de brosse à dents mais j'avais pensé à autre chose. Je dégrafai l'étui qui protégeait mon Beretta et me saisis du revolver. Si Nora avait l'intention de bondir à l'intérieur, j'étais prêt à l'accueillir.

J'agrippai l'arme des deux mains.

Où es-tu Nora, amour de ma vie ?

99

Tout était silencieux dans la cabane, y compris mon téléphone. Le 911 avait mon nom. Si la standardiste faisait le nécessaire, elle alerterait son supérieur, le supérieur alerterait le Bureau, le Bureau vérifierait les coordonnées émises par mon téléphone équipé d'un GPS, et l'unité de police la plus proche serait envoyée sur les lieux. Cela paraissait si simple ! Je devais simplement faire en sorte de respirer encore quand ils arriveraient ici.

Pourquoi n'avais-je pas tiré sur Nora ? Excellente question, à laquelle je n'avais pas vraiment envie de donner de réponse, bien que celle-ci fût évidente.

J'essayai de me relever sans faire de bruit, mais la douleur atroce de mon épaule ne me facilitait pas vraiment les choses. Sur la pointe des pieds, je m'approchai de la porte et m'affalai contre le mur. De ma main libre, j'atteignis le verrou au-dessous de la poignée et je le tournai lentement.

Respirant profondément, je clignai des paupières plusieurs fois. Impossible de savoir si Nora se trouvait toujours dans le couloir, mais il fallait en avoir le cœur net. Mon seul avantage : la porte s'ouvrait vers l'extérieur.

Jouant le tout pour le tout, je donnai un puissant coup de pied dans le bois. Le panneau bascula brutalement. Jambes fléchies et canon pointé, je fonçai, balançant les bras à gauche et à droite, à l'affût du moindre mouvement. Je visai une lampe et faillis tirer sur mon propre reflet dans un miroir. Mais pas de Nora.

Je marchai en crabe en direction de la cuisine.

— Tu n'es pas la seule à avoir une arme, criai-je.

Aucune réaction.

Je me dressai dans l'encadrement de la porte du salon. Je perçus un bruit. Un craquement. Des pas. Elle me guettait.

Ma bouche s'ouvrit mais je ne prononçai pas un mot. J'étais en proie à un étourdissement. Je m'agrippai au mur et essayai de retrouver mon équilibre. Mes genoux ne me soutenaient plus. Le craquement se fit de nouveau entendre. Approchait-elle ? Je levai le bras et pointai le canon en tremblant. Le bruit devenait de plus en plus fort.

C'est alors que je compris. Le craquement était, en fait, un crépitement. Il se dégageait une odeur infecte dans la maison : quelque chose était en train de brûler.

Je me glissai jusqu'à l'entrée de la cuisine et risquai un rapide coup d'œil. De la casserole, toujours sur le feu, s'élevait une fumée épaisse. Le riz, qui avait continué à cuire, était en train de carboniser.

Un grand bruit me fit bondir : la porte extérieure venait de claquer. Nora, en train de s'enfuir ? En clopinant, je sortis de la cabane au moment où le moteur de la Mercedes s'emballait. Mon premier pas dans l'escalier me trahit. Je basculai en avant et atterris sur le flanc, le souffle coupé, en proie à une douleur inimaginable.

Nora passa la première vitesse tandis que je me relevais en titubant. L'espace d'une seconde, elle tourna la tête vers moi. Nos regards s'agrippèrent.

— Nora, arrête-toi !

— Mais oui, bien sûr, O'Hara. Au nom de quoi ? De l'amour ?

Je levai le bras en tremblant comme une feuille et visai l'arrière du cabriolet que je distinguais dans le clair de lune.

— Nora ! hurlai-je de nouveau.

Elle était à la limite de la clairière, sur le point de disparaître sur le chemin de terre. J'appuyai finalement sur la détente une fois, une deuxième, puis une troisième, par acquit de conscience. Puis tout devint noir.

100

Le riz sauvage brûlé avait un parfum de rose comparé aux sels destinés à me ranimer.

Lorsque ma tête sursauta et que mes yeux s'ouvrirent, je vis en contre-plongée deux policiers du coin. Le plus âgé m'appliquait sur l'épaule un garrot de fortune, tandis que le plus jeune – pas plus de vingt-deux ans – me contemplait d'un air incrédule. Je n'avais pas besoin d'être extralucide pour savoir ce qu'il pensait de mon état, mais j'avais ma propre question.

— Vous l'avez rattrapée ? demandai-je, encore dans les vapes.

— Non, répondit le plus vieux. Et nous ne savons pas avec précision qui rechercher. Nous n'avons qu'un nom, et nous ignorons complètement à quoi elle ressemble et ce qu'elle conduit.

Lentement, je les mis au courant. Description complète de Nora et de la Mercedes rouge, adresse de Briarcliff Manor. Il était toutefois hautement improbable qu'elle retourne là-bas. Le jeune policier relaya ces informations par radio. Il vérifia également que mon ambulance était en chemin.

— Ils devraient déjà être là, déclara-t-il.

— Je n'ai jamais fait partie des priorités absolues, plaisantai-je.

Entre-temps, son partenaire avait terminé le garrot.

— Voilà, ça devrait tenir jusqu'à l'arrivée du corps médical.

Je les remerciai tous les deux. Soudain, je compris qu'il devait s'agir du père et du fils, ce qu'ils me confirmèrent : Will et Mitch Cravens, respectivement. La vie est vraiment simple et paisible dans les petites villes.

Je tentai de me lever.

— Hou là là ! s'écrièrent les Cravens en chœur. Il vaudrait mieux ne pas bouger, dans votre état !

— J'ai besoin de mon téléphone.

— Où est-il ? demanda Mitch. Je vais aller vous le chercher.

— Quelque part sur le sol de la salle de bains. Il faut aussi éteindre la cuisinière.

Le jeune homme fit un signe de tête à son père.

— Je reviens tout de suite.

Alors qu'il pénétrait à l'intérieur, je me souvins que Nora m'avait dit être propriétaire de la cabane.

— Will, vous connaissez peut-être Nora, lui dis-je. Cette cabane lui appartient. Elle lui a été laissée en héritage par l'ancien propriétaire, un ancien client à elle.

— C'est ce qu'elle vous a dit ?

Je compris ce qui m'attendait.

— A-t-elle mentionné le nom de cette personne ?

— Non, mais elle avait les clés.

Il secoua la tête.

— Cet endroit appartient à un type nommé Dave Hale. Qu'il ait été ou non son client, je vous assure qu'il est on ne peut plus vivant.

— Est-ce qu'il serait riche, par hasard ?

Il eut un haussement d'épaules.

— Sans doute. Je ne l'ai vu que deux fois. Il vit à Manhattan. Pourquoi ? Vous croyez qu'il est en danger ?

— Avant ce soir, il l'était peut-être. Mais plus maintenant, je pense.

Mitch revint, le portable à la main.

— Trouvé.

J'étais sur le point d'appeler Susan quand la sonnerie retentit. Elle m'avait pris de vitesse.

— Allô ?

— Tu n'as pas baisé celle qu'il fallait, O'Hara. Tu vas douloureusement le regretter !

Nora.

Elle n'avait pas l'air hystérique. Au contraire, elle était extrêmement calme. Trop calme. Pour la première fois, elle me fit peur.

— Maintenant, je vais frapper au cœur du problème... pour de bon. Tu connais Riverside ?

Clic.

Le téléphone m'échappa des mains. Je me hissai sur mes jambes vacillantes. Les deux policiers se précipitèrent pour me soutenir.

— Qu'est-ce qui se passe ? demanda le fils.

— Ma famille, dis-je. Elle s'en prend à ma famille.

101

Will et Mitch Cravens, père et fils, comprirent immédiatement, et plus vite que n'importe quel autre flic. Il n'était plus question d'attendre l'ambulance. Je préférais me vider de mon sang plutôt que de perdre une minute de plus au milieu de ces bois.

Je me recroquevillai sur le siège arrière de leur voiture. Mitch et ses réflexes juvéniles mirent en service les sirènes tandis que Will demandait par radio que la police de Riverside se précipite chez moi. Simultanément, j'appelai la maison de mon portable.

— Allons, dépêchez-vous, vite ! implorai-je en laissant sonner.

Rien.

— Merde ! Personne ne répond !

Le répondeur finit par se déclencher. Je laissai à mon ex-femme un message affolé lui intimant l'ordre de se réfugier chez un voisin et d'y attendre l'arrivée de la police. Mon esprit était envahi par des pensées terrifiantes. Nora était-elle déjà là-bas ? Comment avait-elle découvert mon adresse ?

Will coupa l'émetteur et se tourna vers moi.

— La police de Riverside sera chez vous dans quelques minutes.

Il désigna mon téléphone du menton.

— Vous ne l'avez pas eue ?

— Non.

— Vous ne pouvez joindre personne sur un portable ?

— J'allais essayer.

Je tombai également sur le répondeur, et laissai le même message, de sinistre augure : « C'est John. Si les garçons et toi vous êtes à la maison, sortez-en immédiatement ! Si vous êtes en train d'y retourner, n'y pénétrez pas ! »

J'inclinai la tête en arrière et laissai échapper un cri de frustration. Le garrot faisait baisser mon adrénaline, et l'étourdissement reprenait l'avantage. Je m'efforçai de me calmer et de ne pas penser au pire. Mais cela m'était impossible.

— Plus vite, les gars !

Nous avions déjà dépassé les cent trente kilomètres à l'heure. Enfin, nous franchîmes la limite du Connecticut et fonçâmes vers Riverside. Je me sentais complètement impuissant. Brusquement, j'eus une idée : appeler Nora.

C'était peut-être ce qu'elle attendait. Avec un peu de chance, elle cherchait seulement à m'effrayer et à faire durer la situation. À rire avec perversité de mon désarroi. Si seulement.

Je composai son numéro et laissai sonner dix fois.

Pas de Nora. Pas de répondeur.

La radio de la police grésilla. Nous étions connectés avec un agent de Riverside qui se trouvait devant la maison ; les portes étaient fermées et la lumière, allumée. D'après ce qu'il constatait, il n'y avait personne alentour. Je regardai ma montre : 22 h 10. Ils auraient dû être là ; les enfants se couchaient à 21 heures environ.

Will activa le micro.

— Pas de signe d'effraction ?

— Négatif.

— Avez-vous interrogé les voisins ? demanda Mitch qui ralentissait pour prendre un virage très serré.

Les pneus crissèrent en stéréo.

— Elle a pu aller chez les Picotte, juste en face, ajoutai-je. Mike et Margi Picotte. Ce sont des amis.

— Nous vérifions. À quelle distance d'ici vous trouvez-vous ?

— Dix minutes, dit Will.

— Agent O'Hara, m'entendez-vous ? s'enquit le policier.

— Parfaitement.

— J'aimerais démonter la serrure d'une des portes de la maison. Vous êtes d'accord ? Juste pour m'assurer qu'il n'y a personne à l'intérieur.

— Allez-y, m'écriai-je. À la hache, s'il le faut !

— Compris.

Sa voix disparut dans un autre grésillement. Les sirènes retentissaient dans la nuit. À l'intérieur du véhicule régnait le silence. Je croisai le regard du jeune Cravens dans le rétroviseur.

— Je sais, dit-il. Plus vite.

102

Mitch fonça et réduisit les dix minutes nécessaires de moitié. Nous arrivâmes devant la maison en dérapage contrôlé sur quinze mètres au moins. La rue scintillait de lumières clignotantes rouges et bleues dont le halo se diffusait dans la nuit. Observant la scène de leur pelouse, des poignées de voisins se demandaient ce qui se passait. À ce moment précis, pas grand-chose.

Je me précipitai par la porte ouverte et découvris quatre agents en train de discuter dans l'entrée. Ils venaient de terminer le tour de la maison.

— Vide, me dit l'un d'entre eux.

Je pénétrai dans la cuisine. Il y avait quelques assiettes dans l'évier et un rouleau de film étirable sur le plan de travail. Ils avaient dîné. Je vérifiai le téléphone mural situé près du réfrigérateur. Le témoin clignotant révélait qu'il y avait un seul message. Le mien.

Tous les policiers, y compris Will et Mitch, s'étaient rassemblés dans la pièce voisine. Je les rejoignis.

— Il nous faut un plan, dis-je. Et je n'en ai aucun. Je ne suis pas au meilleur de ma forme.

Un agent brun de petite taille nommé Nicolo prit l'affaire en main. Très organisé, il annonça qu'une alerte avait été diffusée tous azimuts dans les trois États de la région. La sécurité de l'aéroport avait été avertie. Il était en train d'ajouter qu'il voulait utiliser la maison comme centre des opérations, lorsque mon esprit se remit à fonctionner.

La Mercedes. Une voiture. Le garage. Je n'avais pas vérifié si la camionnette était là.

Alors que je m'élançais, le groupe entier laissa échapper un énorme soupir de soulagement. Je me retournai pour en voir la cause.

Debout à l'entrée de la cuisine, devant leur mère, se tenaient Max et John junior, un cornet de glace à la main. Ils étaient bouche bée à la vue de la police. Quand ils m'aperçurent et virent l'état dans lequel je me trouvais, ils faillirent se décrocher la mâchoire.

Je m'élançai pour les serrer tous dans mes bras. J'étais tellement absorbé par l'émotion que je n'entendis pas sonner le téléphone, contrairement à Mitch Cravens. Il s'avança et était sur le point de décrocher lorsque son père l'arrêta. Will mit un doigt devant sa bouche en faisant signe de se taire. Puis il appuya sur la touche de prise de ligne automatique avec haut-parleur.

— Chouette, on m'écoute ! dit la voix.

Toutes les têtes se tournèrent. Nora était, en effet, très écoutée. Avec une attention particulière, surtout en ce qui me concernait. Mais ce n'était pas moi qu'elle appelait cette fois.

— Je sais que vous êtes là, madame O'Hara, dit-elle de son ton très calme. Je voulais simplement vous mettre au courant. J'ai baisé avec votre mari. Très bonne soirée à vous !

Et elle raccrocha.

Un silence de mort accueillit cette déclaration tandis que je regardais mon ex-femme dans les yeux.

Elle secoua la tête.

— Et dire que tu te demandes pourquoi nous avons divorcé ! Tu n'es vraiment qu'une bite !

V
L'ÉVASION

103

Voilà. C'était aussi simple que ça.

— Hé, je ne t'avais pas reconnue sans ton fidèle sac à dos, Fitzgerald, dit le Touriste.

— Très drôle, O'Hara. Je n'ai pas eu l'occasion de te remercier pour m'avoir tirée du pétrin à Grand Central. Alors, merci. Je ne sais pas si je m'en serais sortie.

Le Touriste avait rejoint la fille au sac à dos dans un restaurant de l'aéroport de La Guardia. L'arrivée du maître chanteur, du vendeur, était imminente. Si tout se déroulait comme prévu.

— C'est dingue, non? Tu crois qu'il va se montrer? demanda-t-elle.

O'Hara sirotait son Coca géant.

— Seulement s'il veut son argent, et je parie que c'est le cas. Il a deux millions de bonnes raisons de se montrer.

Fitzgerald secoua la tête, les sourcils froncés.

— Admettons. Comment pouvons-nous être sûrs qu'il va lâcher tout ce qu'il possède? Ses copies? Qu'il ne va pas essayer de nous blouser?

— Tu veux dire essayer de nous avoir comme on a essayé de l'avoir devant la gare? Comme on a eu feu son représentant, devrais-je dire.

— Hé, c'est lui le méchant, ne l'oublie pas!

— Je crois que j'ai assimilé ça. C'est le méchant, c'est le méchant.

À cet instant précis, il entendit une voix dans son oreillette.

— Il arrive. Nous connaissons son identité. Il est venu lui-même cette fois.

Fitzgerald n'avait pas encore tout saisi.

— Il ne se doute pas que ça pourrait être un piège ?

O'Hara se pencha vers elle.

— Demande-lui toi même. Je parie qu'il a une bonne réponse à te donner.

Un type d'une trentaine d'années, costume bleu, lunettes d'aviateur, attaché-case, s'assit à la table. Il alla droit au but.

— Alors, avez-vous mon argent, cette fois ?

O'Hara fit un signe négatif de la tête.

— Non. Pas d'argent. Ne vous levez pas. Nous nous sommes déployés tout autour et nous vous tirons le portrait pour *Times* et *USA Today*. Pour le bulletin de Sing Sing.

— Tu fais une grosse erreur, mon vieux. Tu es baisé, déclara le gars au costume bleu.

Il fit mine de se lever. Mais O'Hara l'obligea à se rasseoir.

— Ce n'est pas notre avis. Maintenant, écoute-moi bien. Voici le marché. Tu ne reçois pas le moindre argent pour le fichier que tu as volé et essayé de nous revendre. Mais tu te tires loin de tout ça. Bien entendu, tu nous laisses l'attaché-case et les copies que tu as faites. Nous savons qui tu es. Si tu t'adresses à nous de nouveau ou s'il y a la moindre fuite, nous te descendons. Au-dessous du niveau du sol. Voilà. C'est réglo, non ?

O'Hara fixa sans ciller le gars au costume bleu. Viseltear, analyste en poste à Quantico[1], et voleur.

— Tu as bien suivi ? insista-t-il. Tu saisis ?

Son interlocuteur hocha lentement la tête.

— Vous ne voulez pas aller au tribunal. Vous ne voulez pas de jugement. Je saisis.

O'Hara haussa les épaules.

— Si tu reviens à la charge, nous t'abattons. C'est ça qu'il faut retenir.

Ponctuant ses paroles d'un crochet à la mâchoire de son interlocuteur, il faillit l'assommer.

---

1. C'est à Quantico, Virginie, que se trouve l'école du FBI. *(N.d.T.)*

— Et ça, c'est pour avoir essayé de me faire descendre par le livreur de pizza. Maintenant, dégage. Et laisse l'attaché-case.

Se frottant la joue, Viseltear se leva. Un tantinet vacillant, il s'éloigna et tout fut bouclé.

Il restait encore quelque chose à vérifier pour O'Hara, qui avait conscience d'en savoir trop à propos de ce qui s'était réellement passé. Il inspecta l'intérieur de l'attaché-case, regarda la clé USB, lut le petit article dans la section «Mode» de *Times*. Si l'on ajoutait le tout, on arrivait à 1,2 milliard. Mais peut-être cela se révélerait-il une bonne chose pour lui. Ou peut-être pas.

« Il ne faut pas se fier aux apparences. »

104

— O'Hara.

— Susan. Content de te voir.

— Même dans ces circonstances?

— Dans n'importe quelles circonstances.

Nous nous rendions au bureau de Frank Walsh, au dou-zième étage de l'immeuble du FBI, situé au sud de Manhattan. Susan et moi travaillions sous ses ordres, bien que dans des divisions différentes, la plupart du temps. Il supervisait plu-sieurs départements du Bureau de New York.

— Susan, John, dit-il en exposant ses dents lorsque nous entrâmes dans la pièce.

Walsh était le roi du sourire, des bonnes histoires et des poignées de main chaleureuses, ce qui ne signifiait pas qu'il ne soit pas très intelligent. La preuve, c'était notre patron, à Susan et à moi.

Nous nous installâmes dans sa salle de réunion.

— Salut les artistes! J'aurais aimé papoter avec vous mais j'ai très peu de temps, aujourd'hui. On pourrait dîner ensemble un de ces soirs? Susan, j'ai besoin de voir John en privé. D'accord?

— Bien sûr.

Elle ne le trouvait pas si intelligent que ça mais le tolérait.

— Réglons cette affaire tout de suite, déclara Frank en me faisant entrer dans la pièce voisine. Cette audition est un rappel à l'ordre.

La salle, inconfortable, avait le côté guindé censé mettre le visiteur mal à l'aise. Elle annonçait d'office la couleur : « Tu as foutu une sacrée merde, O'Hara. »

Je m'assis dans la chaise qui faisait face aux membres du conseil de discipline. Depuis la disparition de Nora, j'étais passé de l'hôpital à la chaise électrique, avec, entre les deux, une semaine de convalescence pour mon épaule. Sans oublier une petite mission que j'avais réglée à l'aéroport de La Guardia. Je devinais qu'on voulait me souhaiter bonne chance avant de me virer officiellement d'un coup de pied au cul.

Frank Walsh ouvrit la séance par un bref récapitulatif de mes états de service. L'assistance écoutait attentivement tandis qu'un magnétophone enregistrait chaque mot.

Agent John Michael O'Hara ; ancien capitaine de l'armée des États-Unis ; ancien officier de la police de New York, décoré à deux reprises. Actuellement, agent spécial de la Division antiterroriste du FBI, en particulier de la section des Opérations de financement des actions terroristes... Quelques missions importantes d'infiltration.

— Frank ?

Une voix s'élevait, celle d'Edward Vointman, assis à l'extrémité droite de la table. Outre sa participation au conseil de discipline, il dirigeait l'unité des Crimes en série.

— Pouvez-vous nous expliquer comment l'agent O'Hara s'est trouvé impliqué dans l'enquête relative à Nora Sinclair ?

Je réprimai un sourire narquois. Cette question onctueuse signifiait, en d'autres termes : « Nom de Dieu, pourquoi n'ai-je pas été mis au courant ! »

Walsh fronça les sourcils. Au sein de la plupart des compagnies, en particulier des agences gouvernementales, la main gauche sait rarement ce que fait la main droite. Dans cette affaire, toutefois, l'absence de communication était un petit peu plus suspecte : la main droite n'avait pas su ce que faisaient ses propres doigts.

Le magnétophone fut coupé. Dès que la bande s'arrêta, Frank perdit sa raideur.

— Voilà toute l'histoire, Ed. Le Groupement des forces Antiterroristes de New York a travaillé avec la Division antiterroriste, plus particulièrement avec la section s'occupant du financement des actions terroristes, et avec la Sécurité du territoire. Il s'agissait de surveiller le trafic de l'argent entrant et sortant du pays.

Vointman ouvrit la bouche pour dire quelque chose, probablement « qu'est-ce que vous entendez par surveiller ? », quand Walsh l'interrompit.

— Je ne peux pas vous en dire plus, Ed, alors n'insistez pas.

Il se racla la gorge.

— Donc, il y a quelque temps, nous avons eu connaissance d'un important transfert de fonds effectué par un certain Connor Brown habitant Westchester, le jour même de sa mort. Après enquête, nous avons remarqué une étrange coïncidence : la fiancée de ce type, Nora Sinclair, avait précédemment été mariée à un médecin new-yorkais qui était mort dans les mêmes circonstances. Et il s'agissait d'un cardiologue. La bonne nouvelle, c'était que cette femme n'était probablement pas une terroriste ; la mauvaise, c'est qu'elle avait sans doute quelque chose à voir avec les deux décès.

De nouveau, Vointman ouvrit la bouche, sa question réprimée devenant de plus en plus pertinente. Dirigeant l'unité des Crimes en série, il aurait dû être chargé de ce dossier.

Walsh prévint ses objections.

— Nous ne pouvions pas vous confier l'affaire sans être sûrs à cent pour cent que Nora n'agissait pas pour quelqu'un d'autre, ou qu'elle n'était pas elle-même un agent actif, si invraisemblable que cela paraisse aujourd'hui. Pour faire court, nous avons chargé O'Hara d'enquêter parce qu'il était familier de ce type de situations. Il avait travaillé clandestinement pendant quatre ans avec la police de New York et son profil correspondait parfaitement à ce qu'il nous fallait. Il était déjà sur la première affaire à l'époque. En d'autres termes, il avait le physique et, nous le croyions, les facultés de jugement nécessaires.

Il se retourna vers moi avec un regard glacial.

— Évidemment, poursuivit-il, nous pensions à celles situées au-dessus de la ceinture.

Sur ces mots, il tendit la main et appuya de nouveau sur le bouton « Enregistrement ».

À partir de là, ce fut la dégringolade.

Pendant l'heure qui suivit, je répondis aux questions éclairant tous les aspects de ma surveillance rapprochée de Nora Sinclair. Je dus justifier toutes les décisions que j'avais prises, et celles que je n'avais pas prises. En particulier celles que je n'avais pas prises. Le conseil fut impitoyable. J'étais devenu leur sapin de Noël au pied duquel chacun s'efforçait de trouver son cadeau.

Quand ce fut terminé, Walsh les remercia et leur donna congé. J'en déduisis que j'étais également libre de m'éclipser. C'est alors qu'il me demanda de rester.

105

Tous les membres du conseil de discipline étaient sortis. Il n'y avait plus que nous trois : Walsh, le magnétophone et moi. Un grand calme régnait. Pendant vingt secondes, trente peut-être, il se contenta de me fixer.

— Suis-je supposé dire quelque chose ? m'enquis-je.

Il secoua la tête.

— Non.

— Es-tu supposé dire quelque chose ?

— Normalement, non, mais je vais quand même te poser la question.

Adossé à la chaise, il croisa les bras contre sa poitrine et plongea ses yeux dans les miens.

— Je vais avoir un coup de fil d'en haut, n'est-ce pas ?

Il m'inquiétait.

— Qu'est-ce qui te fait dire ça ?

— Disons que c'est une intuition, dit-il en hochant lentement la tête. Tu es trop futé pour être aussi con.

— J'ai eu des compliments pires que celui-là.

Il ignora le sarcasme.

— Tu as été pris le pantalon baissé, au sens propre, mais quelque chose me dit que tes arrières sont toujours couverts.

Je ne répondis pas aussitôt. Je voulais voir s'il continuerait à parler, s'il révélerait la source de son intuition. Ce ne fut pas le cas.

— Je suis impressionné, Frank.

— Je n'ai aucun mérite. C'était écrit sur ta figure.

— Rappelle-moi, à l'occasion, de ne jamais jouer au poker avec toi.

— Tu sais, je peux encore te rendre les choses très difficiles.

— J'en ai conscience également.

— Rien ne peut changer ce que tu as fait ni la façon dont
tu as foiré.

— Je sais.

Il referma son dossier.

— Allez, file.

Je me levai.

— Oh, encore une chose, O'Hara.

— Oui ?

— Je sais tout de ton autre mission. Depuis le départ. C'est
toi, le Touriste.

106

Lorsque je pénétrai dans le bureau de Susan, quelques minutes plus tard, elle était debout devant la fenêtre et contemplait l'après-midi couvert et bruineux. Il était difficile de ne pas comprendre ce qu'exprimait son attitude.

— Ce n'était pas trop dur ? demanda-t-elle sans se retourner.

— Si, je ne peux pas dire le contraire.

— Sur une échelle de un à dix ?

— Dix-huit ou dix-neuf.

— Non, sérieusement.

— Allez, disons neuf, dis-je. Je ne serai pas fixé avant une semaine.

— Et jusque-là ?

— Ils m'enchaînent à mon bureau.

— C'est autre chose qu'ils devraient enchaîner.

— Bon, ça va, j'ai compris. Vous vous êtes donné le mot pour les allusions salaces, décidément !

— Tu t'attendais à quoi ?

— Rien de spécial, mais j'apprécierais de ne pas avoir ton dos pour seul interlocuteur.

Susan se retourna. Du genre coriace, elle était habituellement imperturbable, mais son visage, aujourd'hui, contredisait cette réputation. La déception et l'inquiétude s'y lisaient clairement.

— Tu m'as fait passer pour une nullarde, John.

— Je sais, répondis-je un peu trop vite.

— Apparemment, ça n'a pas l'air de te perturber plus que ça.

Je fixai longuement mes pieds.

— Je suis désolé, articulai-je à voix basse.

— Putain ! Tu savais bien que la gestion de cette affaire par mon département était une entorse aux règles !

Je ne répondis rien. J'en savais assez long sur Susan pour savoir qu'elle essayait de se défouler. La colère, la frustration, le fait que je l'aie laissée tomber... Il fallait sans doute qu'elle lâche un bon cri primal avant de pouvoir avancer de nouveau.

— Bordel, John ! Comment as-tu pu être aussi con !

On y était.

Quand les fondations de l'immeuble cessèrent de trembler, elle retrouva son comportement calme et stoïque. Nora était toujours en liberté et il fallait l'attraper. Malheureusement, les rapports de terrain donnaient peu de raisons de se montrer optimiste. La tueuse en série semblait avoir complètement disparu.

— Et les gens des îles Caïmans ? m'enquis-je.

— Rien. On a passé en revue les Caraïbes, toute la ville de Briarcliff Manor, son appartement en ville et les points qui relient ces endroits ; on ne l'a vue nulle part.

— Bon Dieu, où peut-elle être ?

— C'est la question à mille dollars.

Susan jeta un coup d'œil sur un morceau de papier qui indiquait le solde de la somme gelée sur le compte de Nora.

— Ou devrais-je dire la question à dix-huit millions quatre cent vingt-six mille dollars ? reprit-elle.

Tant que ça ? Bravo, Nora.

— Au fait, dis-je, et l'avocat, Keppler ?

— Celui que tu as molesté ?

— Oh, je l'ai tout juste cajolé.

— Peu importe. Nora n'a pas contacté son bureau.

— Peut-être pourrais-je lui rendre une autre petite visite et...

Elle m'interrompit.

— Je te rappelle que tu es enchaîné à ton bureau. En attendant d'autres directives.

Puis, atténuant ses propos d'un faible sourire :

— Le bon côté de la chose, c'est que, si tu es suspendu, tu auras plus de temps à passer avec tes fils.

— Je n'en sais rien, dis-je. Il faut encore que leur mère accepte de me les laisser.

Susan se détourna à nouveau et regarda par la fenêtre.

— Tu sais, si tu avais été aussi bon mari que père, nous ne nous serions jamais séparés.

107

Je n'ai jamais su rester tranquille. Après deux jours de réclusion, enchaîné à mon bureau, je devenais dingue. Il y avait de la paperasse à régler, mais je ne m'en occupais pas. Je me contentais de contempler par la fenêtre la grisaille mélancolique du sud de New York. Et de cogiter. Où était-elle passée ?

Les rapports qui arrivaient du terrain étaient aussi laconiques que décevants. Aucun signe de Nora. Pas la moindre trace. Comment avait-elle pu disparaître ainsi ?

La routine prenait une forme horripilante : le téléphone sonnait dans mon bureau, j'écoutais les dernières nouvelles et je raccrochais rageusement, rongé par la frustration. L'inscription qui figurait sur mon dos était claire pour tout le monde :

« Attention ! Matériel hautement inflammable. »

La sonnerie retentit de nouveau. Je décrochai et me résignai à entendre ce que je savais déjà.

— O'Hara, annonçai-je.

Pas le moindre son.

— Allô ?

Toujours rien.

— Y a-t-il quelqu'un à l'appareil ?

— Tu m'as manqué, articula-t-elle doucement.

Je bondis sur ma chaise.

— Eh bien, tu ne dis rien ? demanda Nora. Et moi, je t'ai manqué ? Même pas pour le sexe ? Même pas pour ça ?

Bouche ouverte, prêt à déverser mon venin, j'étais sur le point de répondre mais je me contins. J'avais besoin qu'elle reste en ligne. J'appuyai sur le bouton d'enregistrement de mon téléphone puis sur le bouton voisin, qui déclenchait la recherche de provenance. Respiration profonde.

— Comment vas-tu, Nora ?

Elle rit.

— Oh, allons… Sois un peu toi-même, hurle-moi dessus ! L'homme que j'ai connu n'était pas du genre à se retenir.

— Craig Reynolds, tu veux dire ?

— Tu ne vas pas encore te cacher derrière l'agent d'assurances, tout de même ?

— Il n'avait aucune réalité. Rien de tout cela n'avait de réalité, Nora.

— Tu aimerais que ce soit vrai. Mais la seule vérité, c'est que tu ne sais pas ce que tu veux. Tu n'arrives pas à choisir entre l'envie de me baiser ou celle de me tuer.

— Je n'ai aucune hésitation à ce sujet.

— C'est ton ego blessé qui parle. D'ailleurs, à propos de blessure, comment te sens-tu ? Tu n'avais pas très bonne mine l'autre soir.

— Je te l'accorde.

— O'Hara, je vais t'avouer quelque chose. Ça me fait mal de penser qu'on ne se reverra pas.

— Je n'en serais pas si sûr à ta place, objectai-je, les dents serrées. Fais-moi confiance, je te retrouverai.

— Quel mot étrange, n'est-ce pas ? Confiance. J'imagine que ta chère épouse n'en a pas beaucoup à ton égard, ces temps-ci. Et je serais vraiment désolée de savoir que j'ai brisé votre mariage !

— Désolé, Nora, tu as raté ton coup. Nous sommes divorcés depuis deux ans.

— Vraiment ? Mais tu es disponible, alors ?

Je regardai ma montre. Elle était en ligne depuis un peu plus d'une minute. Il convenait de changer de vitesse.

— Comment te débrouilles-tu sans argent ? demandai-je.

Elle ricana.

— On en trouve partout où il y en a, et il y en a partout.

— C'est seulement pour ça ? Pour l'argent ?

— À t'entendre, ce serait mal. On ne peut pas reprocher à une fille d'assurer son futur, non ?

— Ce que tu as fait va un peu au-delà du plan de retraite.

— D'accord, c'est aussi un peu pour le sport. Les femmes sont en colère, O'Hara. La plupart d'entre elles sont furieuses envers les hommes. Réveille-toi, mon cœur, ton bacon est en train de brûler !

Elle commençait à s'énerver. Peut-être avais-je touché un point sensible ?

— Qu'est-ce que tu reproches aux hommes, Nora ?

— Tu as une heure devant toi ? Il en faudrait plusieurs, même !

— J'ai tout le temps que tu veux.

— Mais moi, pas, j'en ai peur, dit-elle. Il est temps que j'y aille.

— Attends !

— À plus tard, O'Hara. Rendez-vous dans tes rêves.

Clic.

Je secouai mon poignet et jetai un coup d'œil à la grande aiguille de ma montre. Pourvu que... J'appelai les gars du technique.

— Dites-moi que vous l'avez localisée !

— Désolé, on l'a perdue.

Je soulevai le téléphone avec sa base et le jetai contre le mur. Il se brisa en morceaux.

« Rendez-vous dans tes rêves ! »

108

L'employé aux cheveux gris qui vint installer mon nouveau téléphone le lendemain matin jeta un regard sur les morceaux épars de l'ancien. Puis il me regarda avec un sourire entendu.

— Alors, comme ça, il est tombé de votre bureau ?

— Il se passe des choses plus étranges, dis-je. Croyez-moi sur parole.

Quelques minutes plus tard, le nouvel appareil était en place et opérationnel. Il y avait donc enfin quelque chose qui fonctionnait. Je restai enchaîné à mon bureau, torturé d'ennui, pour ne pas parler du doute et de la culpabilité, des tonnes de culpabilité.

Le nouveau téléphone sonna. Je pensai tout d'abord qu'il s'agissait d'un rappel, comme au spectacle ; Nora réclamait une autre conversation, une seconde occasion de retourner le couteau dans la plaie. Mais je rejetai cette idée. Tous les éléments de son coup de fil de la veille conduisaient à penser qu'il s'agissait d'un événement isolé.

Je décrochai. Effectivement, ce n'était pas Nora, mais l'autre femme qui gardait une dent contre moi. Inutile de le préciser, Susan et moi n'étions pas vraiment dans les meilleurs termes. Néanmoins, nous restâmes professionnels.

— Des nouvelles du labo audio ? demandai-je aussitôt.

L'enregistrement de ma conversation avec Nora était analysé pour déceler les bruits de fond susceptibles de la localiser vaguement, sinon précisément : une vague océane ou quelques mots étrangers prononcés par un passant. Le fait que je n'aie rien entendu ne signifiait pas qu'il n'y avait rien à entendre.

— Oui, j'ai le rapport, dit Susan. Ils n'ont rien pu trouver.

Techniquement, c'était une mauvaise nouvelle de plus, mais la façon dont elle la délivra – comme si cela n'avait qu'une importance secondaire – était révélatrice. Susan savait quelque chose.

— Que se passe-t-il ?

— « Que se passe-t-il ? » Vas-y, continue à faire le con, John. Si tu pouvais encore m'atteindre, tu m'aurais à nouveau brisé le cœur.

Que me cachait-elle ?

— Il y a du nouveau ?

Cette preuve d'intuition la fit glousser.

— Tu devrais déjà être dans mon bureau !

109

Vingt minutes plus tard, Susan et moi sortions de New York City en roulant à toute allure en direction du nord. Après une heure cinquante de trajet, nous garâmes la voiture devant le centre psychiatrique de Pine Woods, à Lafayetteville.

— Ça devrait t'intéresser, dit Susan tandis que nous nous dirigions vers le bâtiment principal, une tour de brique de sept étages. C'est ici que vit la mère de Nora, John.

Je lui accordai un semblant de sourire. Il était clair qu'elle buvait du petit-lait.

Nous fûmes bientôt assis dans une salle de réunion au dernier étage, face à l'infirmière en chef. Je n'aurais su dire si elle était effrayée ou simplement nerveuse, mais elle avait l'air extrêmement mal à l'aise. C'est l'effet que produisent parfois les agents du FBI.

— Agent O'Hara, voici Emily Barrows, dit Susan, qui avait déjà établi les premiers contacts avec le personnel.

Je me tournai vers la surveillante en lui tendant la main.

— Enchanté.

— Je pense qu'Emily a des informations importantes au sujet de Nora, reprit la chef.

J'attendais avec l'impatience d'un enfant le soir de Noël, sans détacher les yeux de cette femme robuste vêtue d'un pantalon blanc et d'une blouse toute simple, dont les cheveux tirés en arrière étaient maintenus à l'aide de pinces ; l'austérité incarnée, jusqu'aux semelles de caoutchouc de ses chaussures.

— Eh bien, commença-t-elle d'une voix mal assurée, l'une de nos patientes à Pine Woods est une femme nommée Olivia

Sinclair. Nora Sinclair est la fille d'Olivia, poursuivit-elle. Enfin, j'en étais pratiquement sûre, mais je me suis rendu compte récemment que je n'en avais jamais eu la preuve.

— Moi si, intervint Susan. Après notre conversation téléphonique, j'ai sorti le dossier pénitentiaire.

Je levai un sourcil vers elle.

— Le dossier pénitentiaire ?

— Olivia Sinclair a été condamnée à la prison à vie quand Nora avait six ans.

— Pour quel délit ?

— Pour meurtre.

— Tu me fais marcher.

Elle secoua négativement la tête.

— Il y a mieux, O'Hara. Elle a tué son mari. Leur fille, Nora, était présente quand c'est arrivé. Après quelques années d'emprisonnement, Olivia a semblé perdre contact avec la réalité. C'est alors qu'elle a été transférée à Pine Woods. Dans l'intervalle, Nora passait d'un foyer d'accueil à l'autre. Elle a tellement bougé qu'il n'y a aucun dossier cohérent sur elle.

S'interrompant, elle jeta un coup d'œil à Emily qui semblait complètement perdue.

— Nous avons de bonnes raisons de penser que Nora a tué son premier mari, il y a deux ans. Et de meilleures raisons encore de penser qu'elle a également tué le second.

— Connor Brown et elle n'étaient que fiancés, rappelai-je.

— Je parle de Jeffrey Walker.

Ce fut à mon tour d'être complètement perdu.

— Jeffrey Walker ?

— Tu sais bien... Il écrit tous ces romans historiques à la noix. Enfin... il écrivait.

— Oui, je sais qui c'est. Tu dis que Nora et lui étaient...

— Mariés.

— Bon Dieu, m'exclamai-je en rassemblant les pièces du puzzle. Les infos disaient qu'il était mort d'une crise cardiaque. Laisse-moi deviner. Il vivait à Boston.

— Ce qui nous ramène à Emily.

Susan se tourna vers l'infirmière.

— Allez-y. Dites-lui ce que vous savez.

La surveillante acquiesça et nous invita à la suivre.

— Allons voir Olivia.

110

Nous longeâmes le couloir jusqu'à la chambre d'Olivia. Pendant toutes ces années, elle avait été inscrite sous son nom de jeune fille, Conover, ce qui avait considérablement compliqué notre recherche.

— Voilà qu'un jour je parle avec Nora de l'écrivain Jeffrey Walker et, le lendemain, j'apprends dans le journal qu'il est mort, expliqua Emily en marchant.

Susan et moi nous contentions d'écouter.

— Bien sûr, je ne pensais pas qu'il puisse y avoir de rapport. Je ne savais même pas que Nora avait des ennuis avant qu'on en parle à la télé.

Elle s'immobilisa soudain. Visiblement, elle voulait nous dire quelque chose avant d'entrer dans la pièce.

— Il y a plusieurs semaines, un mois peut-être, j'ai eu entre les mains un mot qu'Olivia avait transmis à sa fille. Ce mot comportait un secret qui nous a bouleversées et qui nous en a appris beaucoup sur notre patiente. Vous allez voir.

Nous passâmes encore devant plusieurs chambres, puis elle tendit la main vers l'une des poignées. En ouvrant la porte, elle découvrit à nos regards une très vieille femme, assise dans son lit, qui lisait un roman et ne leva pas les yeux à notre entrée.

— Bonjour. Voici les visiteurs dont je vous ai parlé, dit Emily d'une voix forte et claire.

La malade nous regarda enfin.

— Oh, bonjour, articula-t-elle. J'aime bien lire.

— Oui, vous aimez bien lire, souligna la surveillante dont les coins de la bouche se relevèrent.

Elle se tourna vers nous.

— Pendant très longtemps, Olivia nous a trompés sur sa santé mentale. Elle nous jouait des tours pour nous faire croire que son état était beaucoup plus grave qu'il ne l'était vraiment. Un jour, alors que Nora était là, elle a fait semblant d'avoir une crise pour empêcher sa fille de dire quelque chose qu'elle n'aurait pas dû révéler. C'est une excellente actrice. Et elle sait que nous enregistrons les conversations. N'est-ce pas, ma chère?

Tout en observant ses deux visiteurs, la patiente avait écouté les propos de l'infirmière.

— Sans doute.

— Nous avons néanmoins décidé de garder Olivia avec nous, précisa Emily. Et elle est d'accord pour vous aider.

Olivia opina de la tête, les yeux toujours fixés sur nous.

— Oui, chuchota-t-elle. Est-ce que j'ai le choix?

Elle posa son livre et descendit de son lit. Tandis qu'elle se dirigeait vers son placard, la surveillante reprit la parole.

— Chaque fois que Nora venait, elle apportait un nouveau roman pour sa mère, même si elle croyait que celle-ci ne les lisait pas vraiment.

Olivia sortit un carton. Je vis qu'il était rempli de livres, de papiers d'emballage pliés et d'enveloppes.

— Il y a deux semaines, les visites ont cessé, poursuivit l'infirmière. C'est alors que des colis à l'attention d'Olivia ont commencé à arriver. Dans l'un d'eux, il y avait un mot…

Je sentis l'excitation me gagner. Des colis! On pouvait peut-être en retrouver l'origine? Nora avait-elle été assez étourdie pour laisser une adresse? Ç'aurait été trop beau pour être vrai.

Ça l'était. Emily expliqua que rien sur les paquets ne révélait quoi que ce soit sur leur expéditrice.

—… et pas de timbre, ni de tampon particulier.

Elle se tourna vers Olivia.

— S'il vous plaît, donnez à l'agent O'Hara le mot que vous avez reçu.

Je pris le papier, le dépliai et le lus.

« Chère Maman.

Désolée de ne pas pouvoir venir te voir. J'espère que ce livre te plaira.

Je t'embrasse très fort.

Ta fille, Nora. »

Je relus le mot et secouai la tête.

— Qu'y a-t-il de spécial là-dedans ?

Susan répondit illico.

— Tout. Si prudente que se soit montrée Nora, elle ne l'a pas été assez.

Elle regarda Emily. Je regardai Emily. Enfin, cette dernière exposa ce qu'elle avait de toute évidence déjà dit à la chef.

— Regardez très attentivement le morceau de papier, agent O'Hara. Tenez-le devant la lumière. Vous voyez ? Dans le coin, en bas à droite ?

Je levai la feuille vers la fenêtre et en approchai mon visage. Le papier avait un filigrane. Je regardai les autres et vis qu'Olivia s'était mise à pleurer.

— C'est une fille tellement attentionnée ! Un tel amour !

111

Nora sortit sur la terrasse inondée par le soleil de l'après-midi, uniquement vêtue de la partie inférieure de son bikini et d'un sourire éblouissant. Après avoir bu au goulot une gorgée d'Évian, elle pressa la bouteille fraîche contre sa joue. La vision de la plage de Baie Longue, dont le sable scintillant semblait se fondre dans les eaux turquoise des Caraïbes, la ravissait. Aurait-elle eu à concevoir ce décor, elle n'aurait pas fait mieux.

La Samanna, sur l'île de Saint-Martin, avait une réputation méritée de station balnéaire huppée et retirée. C'est ce dernier aspect qui intéressait particulièrement la jeune femme. Pendant la journée, derrière ses lunettes de soleil Chanel, elle était une dame de la haute société parfaisant son hâle au bord de la piscine. La nuit, après que Jordan et elle avaient mis la chambre à coucher sens dessus dessous, le dîner était livré par le room service. Comme de jeunes mariés en lune de miel, il leur arrivait même, certains jours, de ne pas quitter la villa. Fort heureusement, le room service offrait également un menu succulent pour le déjeuner.

— Chérie, quel champagne veux-tu aujourd'hui ? Un Moët et Chandon ou un Dom Pérignon ? cria Jordan de l'intérieur.

— Choisis pour nous, mon cœur, répondit Nora.

Jordan Mauch, roi de l'immobilier de Dallas, était un preneur de décisions-né. Celle qui lui avait rapporté le plus d'argent avait consisté à désigner avant tout le monde Scottsdale, Arizona, comme le prochain West Palm Beach. La toute dernière avait été d'ordre personnel : ayant engagé Nora Sinclair pour décorer sa nouvelle maison d'Austin, il l'avait récompensée de son travail remarquable par un petit voyage aux Caraïbes.

Il interpella de nouveau sa compagne après avoir commandé le déjeuner.

— Chérie, tu ne comptes pas accueillir le serveur dans cette tenue ?

— Je m'efforce simplement d'unifier mon bronzage, répliqua-t-elle avec une moue ironique.

Le rire de son interlocuteur lui parvint.

— En plus, nous sommes du côté français de l'île, souligna-t-elle.

Plus tôt dans la semaine, ils s'étaient rendus à la plage de nudistes d'Orient Point. Nora n'aurait pas hésité à se déshabiller, elle se serait sentie parfaitement à l'aise. Mais pas Jordan. Rien à faire. C'était la seule coutume locale qu'il n'avait pas l'intention d'adopter. Elle n'avait même pas essayé de le convaincre, ayant appris depuis longtemps que les hommes très riches ne voulaient jamais se déshabiller en public. C'était sans doute une façon de cacher leurs atouts.

Nora rentra à l'intérieur et enfila l'un des peignoirs blancs moelleux fournis par la station. Elle remonta dans le lit et se blottit contre l'ample torse de Jordan. Mais un souvenir ne cessait de revenir à la surface. Elle ne pouvait sortir ce John O'Hara de son esprit. Son odeur, le goût de sa peau… Il avait su lui occuper l'esprit comme jamais aucun homme ne l'avait fait jusque-là. Cela la rendait furieuse. Elle ne supportait pas d'être dans les bras de quelqu'un d'autre et de ne penser qu'à lui. C'était trop douloureux.

Qu'est-ce qui m'arrive ? Je ne tombe jamais amoureuse !

— Nora ? Où es-tu partie ? Reviens sur terre… dit Jordan.

— Je suis désolée, mon cœur. Je pensais à quel point tout est merveilleux.

— Un jour paradisiaque de plus, renchérit-il en souriant.

Ils partagèrent un long baiser qui fut interrompu par des coups à la porte. Le déjeuner arrivait. Jordan sortit du lit et alla ouvrir.

— Merci, dit-il tandis que les garçons entraient avec leur grand chariot.

Vêtus d'un short et d'une chemise de coton blanc, ils arboraient de grands chapeaux de paille. Soudain, les chapeaux se soulevèrent.

— Coucou, Nora. Je t'avais bien dit que nous nous reverrions, chantonna O'Hara.

— Ne lui adresse pas la parole ! aboya Susan.

Elle sortit son revolver et le pointa vers Nora.

— C'est fini pour toi, salope !

Puis elle se tourna vers Jordan Mauch.

— Quant à vous, vous êtes l'homme le plus chanceux du monde.

112

Cet après-midi-là, il m'arriva une chose très étrange et inattendue. J'eus quelques moments de liberté que je pus passer avec Susan. Nous avions sagement décidé d'explorer la plage de La Samanna, qui était longue, large et d'un blanc éblouissant. Elle s'ornait même d'une vieille épave au bord de l'eau.

— Tu es sûre que nous pouvons faire confiance à l'équipe du coin ? demandai-je à la chef alors que le soleil nous caressait la peau.

Je faisais allusion à la gendarmerie de Saint-Martin.

— Tu les prends pour les Keystone Cops[1] ou quoi ?

Ils avaient mis Nora en garde à vue jusqu'à ce que les papiers d'extradition soient prêts pour son transfert à New York.

— Je me fais peut-être des idées, expliquai-je, mais il m'est difficile de prendre vraiment au sérieux des policiers en short. Il ne s'agit même pas de shorts normaux. Tu as vu ces trucs ? Ils sont si serrés qu'il est facile de deviner quelle est leur religion !

Susan posa sur moi le regard incrédule que j'avais déjà vu très souvent.

— Tais-toi et bois, John.

Elle avait raison. Comme toujours.

Nous avions rempli toutes les formalités ; la meurtrière était sous bonne garde et l'affaire était close. Nous avions même vérifié que John junior et Max étaient en sécurité chez les

_____

1. Keystone Cops, ou flics de la Keystone : série de films muets de Mack Sennett où les policiers rivalisent d'inefficacité. *(N.d.T.)*

parents de Susan. Même pour un court répit, elle et moi méritions bien d'être assis en ce lieu, l'un à côté de l'autre sur les fauteuils de plage de cette station balnéaire incroyablement luxueuse, regardant le soleil se coucher au milieu des nuages rougeoyants. Quand je pense que nous ne nous étions même pas baignés !

— Je lève mon mai-tai.

— À l'infirmière Emily Barrows.

Susan trinqua avec sa piña colada.

Je m'adossai au fauteuil et respirai profondément. J'éprouvais un énorme sentiment de satisfaction et une quantité égale de soulagement, malgré un petit pincement dont je n'arrivais pas à identifier l'origine. Culpabilité ?

Jetant un coup d'œil à ma voisine, je constatai qu'elle était, à cet instant, particulièrement jolie et sereine. Je l'avais énormément fait souffrir, alors qu'elle ne le méritait pas. Je lui pris la main et la pressai doucement.

— Tu ne peux pas savoir à quel point je suis désolé.

Elle pressa ma main en retour.

— Je n'en doute pas.

Voilà. Le happy end tel qu'on l'imagine. Moi avec un mai-tai dans une main, celle de la seule femme que j'aie jamais aimée dans l'autre. Et Nora Sinclair qui serait bientôt emprisonnée à vie pour les meurtres qu'elle avait commis.

Ç'aurait été trop beau.

113

Le vendredi suivant, je me trouvais dans le bureau de Susan. J'avais été convoqué. Elle sortait d'une conversation téléphonique avec Frank Walsh.

— O'Hara, je ne sais même pas comment t'annoncer la nouvelle.

— Directement, je pense. Comme on fait son lit... c'est ça ?

— Ce n'est pas ça, John. Ils laissent tomber l'accusation contre Nora Sinclair.

J'eus l'impression d'avoir reçu un coup de poing dans l'estomac. Violent, douloureux et totalement inattendu. Il me fallut quelques secondes avant de pouvoir tricoter une phrase.

— Comment ça, ils laissent tomber l'accusation ?

Susan me regardait fixement. Je lisais la colère dans ses yeux, mais c'était une colère maîtrisée. Pas la mienne. Je me mis à faire les cent pas dans la pièce, lançant jurons et imprécations contre tout ce qui me venait à l'esprit, et menaçant de contacter le *New York Times*.

— Assieds-toi.

C'était trop me demander.

— Je ne comprends pas. Comment ont-ils pu faire ça ? Elle tue de sang-froid.

— Je le sais. C'est un serpent. Une psychopathe.

— Alors pourquoi lui rendre la liberté ?

— C'est compliqué.

— Compliqué ? Quelle connerie !

— Je ne te contredirai pas, dit Susan d'un ton mesuré. Et si les cris et les hurlements te soulagent, vas-y. Mais, quand tu auras fini, rien n'aura changé. C'est une décision d'en haut.

Je détestais qu'elle ait raison. Comme quand elle m'avait dit que j'étais trop égocentrique pour sauver notre mariage. En plein dans le mille. Finalement, je m'assis et respirai profondément.

— Bon, alors, pourquoi ?

— Si tu y réfléchis, tu le sais déjà.

Là aussi, elle avait raison. Qu'on appelle ça un déni, ou prendre ses désirs pour des réalités, j'avais toujours su que l'inculpation de Nora pouvait présenter un réel problème pour « les bons gars » du Bureau. Ils n'étaient pas ravis à l'idée que mon comportement serait révélé pendant le procès. Pourtant, ils auraient subi cette humiliation en serrant les dents si cela avait été la seule épreuve à affronter. Mais il y avait davantage, bien davantage.

Je m'étais impliqué dans cette affaire au moment même où je personnifiais le Touriste. La valise faisait partie de cette mission ; la liste des noms et des numéros de comptes aussi. Mon association avec l'accusée passait au second plan comparativement au véritable problème, beaucoup plus sensible et nettement plus embarrassant. S'il était révélé au public, en tout cas.

Frank Walsh y avait fait allusion pendant mon audition – le contrôle de l'argent qui sortait du pays et de celui qui y entrait. Inutile de le préciser, cette action ne se faisait pas grâce à une vigilance complaisante des banques locales, mais après accord entre la Sécurité du territoire, le Bureau et plusieurs banques multinationales. Le raisonnement sous-jacent ? La seule chose plus dangereuse qu'un groupe terroriste était un groupe terroriste avec un support financier solide. Ce qui découlait de cet axiome était d'une logique incontournable : bloquons leur argent et nous les empêcherons d'agir. Ou, encore mieux : trouvons leur argent.

Et nous les trouverons.

La seule règle en la matière était l'absence totale de règles. Ce qui revenait à dire qu'une grande partie de notre travail était, disons-le franchement, illégal. Personne ne pouvait se considérer en sécurité ou à l'abri des reproches : casinos, organismes de charité, grandes sociétés, boursicoteurs... N'importe où et partout dans le monde, nous nous tenions aux aguets. Dès que l'argent bougeait, nous bougions l'oreille. Et si l'argent bougeait de façon apparemment secrète, nous sortions carrément les jumelles. D'un seul coup, les comptes bancaires privés n'étaient plus privés du tout.

Salut, Connor Brown. Et salut, Nora.

— Rien à faire, alors ? dis-je à Susan.

— Que puis-je te dire d'autre ? De deux maux, ils ont choisi le moindre.

Elle eut un sourire narquois.

— Après tout, que représentent quelques riches cadavres au regard de la préservation des fondements de la démocratie ou de ce qui en tient lieu ? Ils vont la libérer, O'Hara. Si ça se trouve, elle est déjà dehors.

114

Nora traversa le sud de Manhattan à toute allure, s'assurant que personne ne la suivait. Ni la presse ni la police. Puis elle fonça sur la voie rapide du West Side et se dirigea vers Westchester. Elle avait besoin de réfléchir.

Elle s'y appliqua dès qu'elle eut atteint sa vitesse de croisière, cent cinquante kilomètres à l'heure. Comme ça faisait du bien d'être libre ! C'était la meilleure chose qui lui soit arrivée depuis longtemps. Elle allait traîner quelques jours dans la maison de Connor, vendre tous les meubles et organiser son avenir.

Étonnée elle-même de la pensée qui lui venait, elle se dit que le moment était peut-être venu de se ranger : se marier, avoir un enfant ou deux. Perspective inattendue qui la fit sourire, mais qu'elle décida de ne pas négliger. Il se produisait tous les jours des choses inattendues. Comme le fait qu'elle était sortie de prison.

Tout à coup, elle se rendit compte qu'elle pénétrait déjà dans l'allée de Briarcliff Manor et se dirigeait donc vers la scène du crime, comme on disait. C'était un sentiment à la fois étrange et délicieux. On l'avait relaxée, elle avait tué sans en être punie. En fait, ses quelques jours d'emprisonnement sur Riker's Island, près de l'aéroport de La Guardia, rendaient plus précieuse encore sa délivrance. Extraordinaire, vraiment.

Au moment où elle sortait de la voiture, le souvenir de Craig, de O'Hara, revint à la surface. Que s'était-il vraiment passé en elle ? Elle ne le comprenait toujours pas, mais l'attirance qu'elle avait éprouvée, d'une grande intensité, s'était révélée exceptionnellement riche en émotions. Cela n'avait plus d'importance. Elle était guérie, maintenant, non ?

Elle pénétra dans cette maison qui sentait vaguement, à présent, le renfermé et la poussière. Bah, un peu d'inconfort, ce n'était pas la mer à boire ! De toute manière, elle n'y resterait que peu de temps.

Entrant dans la cuisine, elle ouvrit la porte du réfrigérateur. Mon Dieu, quel désastre ! Ces légumes pourrissants... et ces fromages ! Elle attrapa une bouteille d'Évian qui se trouvait sur le devant et s'empressa de refermer le frigo avant d'avoir une nausée. À l'aide d'un torchon propre, elle essuya la bouteille, dévissa le bouchon et avala la moitié du contenu d'un trait.

Et maintenant ? Un bain chaud, peut-être ? Un plongeon dans la piscine ? Un sauna ? Soudain, elle agrippa son ventre et sentit qu'elle ne tenait plus sur ses jambes. Son estomac était en train de brûler. Elle regarda autour d'elle mais elle était vraiment seule. La douleur explosa dans sa gorge. Elle était secouée de haut-le-cœur et avait l'impression de ne plus pouvoir respirer. Incapable de se maîtriser, elle s'effondra.

Peut-être sa tête avait-elle heurté le sol, mais elle n'y prêtait pas attention. Rien ne comptait plus que cet incroyable incendie qui la dévorait de l'intérieur. Sa vision se troublait. La souffrance la plus vive qu'elle ait jamais éprouvée envahissait son corps, l'habitant tout entière.

Tout à coup, elle entendit des pas qui approchaient. Il y avait quelqu'un d'autre dans la maison.

115

Nora voulait absolument savoir qui était là. Sa vision se brouillait. Tout était si flou. Elle avait l'impression que son corps se désintégrait.

— O'Hara ? appela-t-elle. C'est toi, O'Hara ?

Elle distingua une silhouette qui pénétrait dans la cuisine. Ce n'était pas Craig, mais une femme blonde. Grande. Avec quelque chose de familier. La silhouette vint vers elle et la contempla.

— Qui êtes-vous ? chuchota Nora, la gorge et la poitrine déchirées par le brasier.

La visiteuse leva la main et retira sa chevelure, une perruque.

— Est-ce que cela vous aide ? Vous me reconnaissez maintenant ?

Ses véritables cheveux étaient courts et très clairs. Nora l'identifia aussitôt.

— Vous ! s'écria-t-elle, stupéfaite.

— Oui, moi.

Elizabeth Brown, la sœur de Connor.

— Je vous ai suivie longtemps, déclara celle-ci. Juste pour vérifier. Je sais maintenant que vous êtes une criminelle !

— Aidez-moi, supplia Nora.

L'horrible brûlure avait atteint sa tête, lui infligeant une souffrance indicible.

— Je vous en prie, aidez-moi. Lizzie, je vous en supplie !

Elle ne pouvait plus distinguer le visage d'Elizabeth, mais elle entendit ses paroles.

— Jamais ! Que je sois damnée, comme vous allez l'être, Nora.

116

Quelqu'un avait passé un coup de téléphone anonyme à la police de Briarcliff Manor.

— J'ai attrapé l'assassin de Connor Brown pour vous. Elle se trouve actuellement dans la maison. Venez la chercher.

Les flics m'ayant contacté à New York City, je me rendis à Westchester en un temps record. Une demi-douzaine de véhicules de la police et de la gendarmerie du coin étaient garés dans l'allée circulaire, ainsi qu'une camionnette de secours d'urgence. J'inspirai profondément, expirai lentement et sortis de la voiture. Je tremblais comme une feuille. Dans le vestibule, je dus montrer mon badge à un agent.

— Ils sont dans la cuisine. Tout droit…

— Je sais où c'est.

En traversant le salon et la salle à manger, je me rendis compte que je n'étais pas prêt à affronter la réalité. Et le fait que ce décor me soit familier rendait peut-être les choses encore plus difficiles. J'étais là, mais c'était comme si je n'y étais pas ; j'avais l'impression de me voir dans un très mauvais rêve.

Les techniciens du service médico-légal étaient déjà à l'œuvre, ce qui signifiait que les enquêteurs avaient terminé. Je reconnus Stringer et Shaw, du bureau de White Plains. J'avais travaillé brièvement avec eux quand nous avions mis sur pied le plan de l'agent d'assurances pour piéger Nora.

Son corps était toujours là, étendu sur le sol, à côté d'une bouteille brisée dont les éclats s'étaient répandus tout autour. Un photographe de la police prenait des photos ; les éclairs de son flash me paraissaient des explosions.

— Eh bien, quelqu'un a fini par l'avoir.

Shaw vint me rejoindre.

— Elle a été empoisonnée. Tu as une brillante suggestion à nous faire?

Je secouai la tête.

— Non. Mais je pense que nous n'aurons pas de mal à résoudre cette affaire.

— Elle a eu ce qu'elle méritait, non?

— On peut dire ça. Mais c'est une sale façon de passer l'arme à gauche.

Je m'éloignai de lui car j'éprouvais un furieux besoin de lui rentrer dans le lard, ce qu'il ne méritait vraiment pas. Le moment était venu de m'approcher de Nora.

— Laissez-moi seul une minute, dis-je au photographe en le renvoyant d'un geste de la main.

Je m'accroupis et respirai profondément avant de regarder son visage. Elle avait souffert, c'était évident, mais elle était toujours magnifique, c'était toujours bien elle. Je reconnus même son chemisier blanc et le bracelet de diamants, l'un de ses préférés, qu'elle portait au poignet.

Je ne sais pas ce que j'étais censé éprouver, mais je ressentais une tristesse infinie qui commençait à m'oppresser. Une tristesse envers moi-même, envers Susan et les enfants. Comment diable tout cela était-il arrivé? Je ne sais pas combien de temps je restai à fixer le corps de Nora mais, lorsque je me relevai, je vis que le silence régnait dans la cuisine et que tout le monde m'observait.

117

Je retournai à Manhattan cet après-midi-là. La radio parlait trop fort mais cela n'avait pas beaucoup d'importance. Mon esprit était ailleurs. Je savais exactement ce que je voulais faire maintenant, ce que j'avais besoin de faire. La mort de Nora avait remis les choses à leur vraie place. J'étais même certain que je ne l'avais jamais aimée. Nous nous étions servis l'un de l'autre et le résultat avait été catastrophique.

Je me rendis à mon bureau mais n'y restai que le temps de saisir un dossier. Il fallait que je file tout de suite dans un autre bureau. En haut, là où traînent les huiles.

— Il va vous recevoir tout de suite, dit la secrétaire de Frank Walsh.

J'entrai et m'installai dans un siège devant l'imposant bureau de chêne.

— John, qu'est-ce qui me vaut le plaisir ?

— J'avais besoin de te parler de certaines choses. Au fait, Nora Sinclair est morte.

Walsh parut surpris. Je me demandai si c'était sincère. Il n'ignorait jamais grand-chose, ce qui expliquait probablement comment il avait survécu aussi longtemps au Bureau de Manhattan.

— Ça simplifie tout, déclara-t-il. Comment vas-tu ?

— Ça va.

Il approcha ses mains l'une de l'autre et joignit les extrémités de ses doigts déformés.

— Pas si bien que tu le dis, apparemment. Que se passe-t-il ?

— Je veux un congé payé. J'ai travaillé trop dur. J'étais presque en double horaire… Tu comprends ?

De toute évidence, Frank Walsh avait conservé la faculté d'être surpris.

— Eh bien ! articula-t-il finalement. Avant que je ne rejette cette demande, John, y a-t-il quelque chose d'autre que tu veuilles me préciser ?

Je hochai la tête.

— J'ai fait une copie, déclarai-je en faisant glisser le dossier sur le bureau.

— Tu veux me dire ce qu'il y a là-dedans ?

— Le contenu d'une valise usagée. Il y avait aussi quelques vêtements, qui n'étaient là que pour le rembourrage, ou pour leurrer quelqu'un qui l'aurait ouverte par erreur.

Walsh opina du chef.

— On dirait bien qu'elle a été ouverte par erreur.

— Ou peut-être pas. Susan m'avait dit qu'il s'agissait de préserver la sécurité du monde. De surveiller les fonds des terroristes qui entrent et qui sortent du pays et de vérifier les comptes extraterritoriaux. C'est de cette façon que nous sommes tombés accidentellement sur Nora. Elle a effectué un transfert d'argent très important en une fois, et nous l'avons attrapée.

Walsh acquiesça et sourit. C'est ce sourire onctueux qui le trahit : pas du tout sincère et indéniablement nerveux.

— C'est ce qui s'est passé, oui.

— À peu près, mais pas exactement. Susan a cru à ton histoire, qui m'a personnellement peu convaincu. Que le FBI et la Sécurité du territoire recherchent les fonds des terroristes et prennent quelques libertés avec la loi, ça ne pose pas vraiment de problème. Le public le comprendrait sûrement.

Frank Walsh, qui ne souriait plus du tout, écoutait néanmoins très attentivement.

— Alors oui, j'ai ouvert la valise. Quand je l'ai fait, j'ai pensé que, peut-être, un jour, j'aurais besoin d'un moyen de pression et que ce qu'il y avait dedans pourrait m'aider.

Cet acte était purement intéressé. Je ne me doutais de rien. Ouvre l'enveloppe, Frank, jette un coup d'œil et prépare-toi à avoir la cervelle secouée. Ou peut-être pas, après tout.

Poussant un gros soupir, il obéit.

Il découvrit un objet de la taille d'un index. Une petite clé USB qu'on peut brancher sur un ordinateur. Coût : 99 dollars dans n'importe quel magasin d'informatique. Ma propre copie de l'original.

— Il y a également une copie papier du fichier. C'est marrant, ce ne sont pas des fonds de terroristes.

— Non ? dit mon interlocuteur en secouant calmement la tête. Et qu'est-ce que c'est ?

Je fus contraint de sourire.

— Tu sais, je n'en suis pas totalement sûr, et je dois dire en guise de préface que je ne suis fan ni des Républicains, ni des Démocrates. J'ai plutôt bien aimé les présidents que j'ai connus, des deux côtés. Je ne sais pas comment on peut qualifier ça. De l'agnosticisme ?

— Qu'y a-t-il sur la copie papier ?

— Mes conclusions. Quelqu'un du Bureau est tombé sur des mouvements d'argent entrant et sortant du pays à partir de comptes offshore. Des comptes de gens essayant de dissimuler des sommes en liquide, se montant à près d'un milliard et demi de dollars. Et d'après ce que je comprends, Frank, tous les gens qui figurent sur la liste financent ou soutiennent le parti de l'opposition. Si cela avait été révélé à l'occasion du procès de Nora Sinclair, quel embarras pour le Bureau, comme pour le parti au pouvoir ! Tout cela aurait été considéré comme très illégal et contraire à l'éthique. Comme bien pire que de baiser Nora Sinclair, ce dont je suis terriblement honteux, soit dit en passant.

Je me levai et constatai que mes jambes tremblaient un peu. Pour une raison un peu vague, je tendis la main pour serrer celle de Frank Walsh ; peut-être parce que nous savions tous les deux que c'était un au revoir.

— Congé avec solde, dit-il. Accordé, John. Tu le mérites.

Je franchis la porte de son bureau et rentrai à la maison, à Riverside. Pour rejoindre Max, John junior... et Susan, si elle voulait bien de moi. Et je vous avoue que, pendant tout le trajet, je priai pour que ce soit le cas.

Eh bien, croyez-le ou non, cette Susan, cette étonnante et merveilleuse Susan, m'ouvrit grand les bras.

Table

Cet ouvrage a été composé
par Atlant' Communication
aux Sables-d'Olonne (Vendée)

Impression réalisée sur CAMERON par

BRODARD & TAUPIN

GROUPE CPI

La Flèche

en janvier 2006
pour le compte des Éditions de l'Archipel
département éditorial
de la S.A.R.L. Écriture-Communication

Imprimé en France
N° d'édition : 867 – N° d'impression : 33841
Dépôt légal : janvier 2006